D1052145

# LA NOVELA EXPERIMENTAL
## DE MIGUEL DELIBES

P E R S I L E S - 1 2 8

OTRA OBRA DE LA AUTORA
publicada por
TAURUS EDICIONES

- *Teoría de la novela* (en colaboración con Germán Gullón) (Col. «Persiles», núm. 75)

AGNES GULLON

# LA NOVELA
# EXPERIMENTAL
## DE
# MIGUEL DELIBES

*taurus*

Cubierta
de
Manuel Ruiz Angeles

© 1980, Agnes Gullón
TAURUS EDICIONES, S. A.
Príncipe de Vergara, 81, 1.º - Madrid-6
ISBN: 84-306-2128-8
Depósito legal: M. 33.789-1981
*PRINTED IN SPAIN*

A RICARDO GULLÓN,
QUE ME ENSEÑÓ A LEER LA NOVELA DE HOY.

# INDICE

INTRODUCCION ... ... ... ... ... ... ... ... ... ...    11

I. LOS CODIGOS DEL CAZADOR: *LAS RATAS*.    21

    El Santoral ... ... ... ... ... ... ... ... ... ... ...    26
    Los apodos ... ... ... ... ... ... ... ... ... ... ...    35
    El léxico rural ... ... ... ... ... ... ... ... ... ...    39

II. ECOS DE LAS SENTENCIAS DE AYER: *CIN-
    CO HORAS CON MARIO* ... ... ... ... ... ...    47

    Hablar frente a callar ... ... ... ... ... ... ... ...    50
    Mimesis estilística ... ... ... ... ... ... ... ... ...    57
    Empleo del «que» ... ... ... ... ... ... ... ... ...    59
    Articulación y sentencia ... ... ... ... ... ... ...    63

III. EL LENGUAJE SINCOPADO O EL PRINCI-
    PIO DEL FIN: *PARABOLA DEL NAUFRAGO*.    69

    Un sistema epistemológico relevante ... ... ...    70
    Defamiliarización del discurso narrativo ... ...    72
    La voz humana y sus simulacros ... ... ... ...    74
    Lo equívoco ... ... ... ... ... ... ... ... ... ... ...    78
    Lo irracional ... ... ... ... ... ... ... ... ... ... ...    86
    Lo vocal ... ... ... ... ... ... ... ... ... ... ... ...    93
    El vacío verbal ... ... ... ... ... ... ... ... ... ...    102

IV. EL UMBRAL DE LA EXPRESION: *EL PRIN-
CIPE DESTRONADO* ... ... ... ... ... ... ...   105

La narración *naïve* ... ... ... ... ... ... ... ...   109
Diálogo y descripción ... ... ... ... .:. ... ... ...   112
Nombres de los personajes ... ... ... ... ... ...   118
Hincapié en lo auditivo ... ... ... ... ... ... ...   119


V. OTRA INVITACION AL SILENCIO Y LA VIO-
LENCIA DEL LENGUAJE INVASOR: *EL
DISPUTADO VOTO DEL SEÑOR CAYO* ... ...   123

Lenguaje insustancial ... ... ... ... ... ... ... ...   125
Lenguaje sustancioso ... ... ... ... ... ... ... ...   132


VI. UNA CONFRONTACION DIALOGAL: *LAS
GUERRAS DE NUESTROS ANTEPASADOS* ...   137

El simulacro de la comunicación ... ... ... ...   137
La situación médico-legal ... ... ... ... ... ...   138
Entendimiento y comprensión ... ... ... ... ...   145
Dos lenguajes antagónicos ... ... ... ... ... ...   146
Autor y lector ... ... ... ... ... ... ... ... ... ...   156


REFERENCIAS ... ... ... ... ... ... ... ... ... ... ...   161

I. Particulares, sobre Miguel Delibes ... ... ...   161
II. Generales ... ... ... ... ... ... ... ... ... ... ...   164

# INTRODUCCION

Las novelas de Miguel Delibes han sido divididas por algunos críticos en dos grupos: realista el primero, desde *La sombra del ciprés es alargada* (1948) hasta *Las ratas* (1962), y experimental el segundo, desde *Cinco horas con Mario* (1966) hasta la fecha, pero sin incluir todas las obras de este período. Hay mucho escrito sobre las primeras novelas [1], y algo también sobre las segundas [2]; hay, asimismo, siete estudios de la evolución del arte de Delibes [3], aunque

---

[1] Emilio Alarcos Llorach, Juan Luis Alborg, Manuel Alonso García, Carlos Luis Alvarez, Mariano Baquero Goyanes, José Luis Cano, John H. Falconieri, Olga Ferrer, J. M. García Casillas, M. García Viñó, Pablo Gil Casado, Juan Gomis, Fernando Guillermo de Castro, Ernest A. Johnson, Willis Knapp Jones, Carmen Laforet, Judit Ann Link, A. López Quintana, R. C. H., Balbino Marco, J. L. Martín Descalzo, J. R. Marra López, Rafael Morales, Miguel Angel Pastor, Philip Polack, José Luis Sampedro, Luis Sastre, Francisco Umbral, Rafael Vázquez Zamora, Antonio Vilanova, J. M. Vivanco y otros.

[2] Tienden éstos a ser artículos dedicados a una sola obra, aunque hay alguno de tipo comparativo. Véase César Alonso de los Ríos, Andrés Amorós, Antonio Blanch, Rosario Bofill, Harold Boudreau, Vicente Cabrera, Carlos Campoy, J. Caum, José Domingo, Luis González del Valle, Obdulia Guerrero, Ricardo Gullón, Isaac Montero, Julián Palley, Antonio Palau Bretones.

[3] A los autores de esos estudios debo, además de la visión panorámica sugerida por cada uno, las referencias bibliográficas que han facilitado mi trabajo de investigación. Son: César ALONSO DE LOS RÍOS (*Conversaciones con Miguel Delibes*, 1971), Janet DÍAZ, (*Miguel Delibes*, 1971), Leo HICKEY (*Cinco horas con Miguel Delibes: el hombre y el novelista*, 1968), Luis LÓPEZ MARTÍNEZ (*La nove-*

al ser de 1975 el más reciente (el libro de Alfonso Rey), la última novela, importante para una visión cabal de la evolución del autor, ha quedado fuera. *Las guerras de nuestros antepasados* no ha sido analizada aún con la distancia debida, ni con el detalle necesario como para situarla en el contexto de la obra total.

En el presente estudio me propongo analizar las seis novelas de Delibes que, a mi juicio, integran su manera experimental, suponiendo que hay realmente dos períodos bien definidos en la producción del autor. Dejo fuera toda clasificación temática, como la propuesta por Edgar Pauk, por considerarla escasamente significativa cuando se trata de la novela contemporánea, que es, después de todo, un quehacer intelectual, emotivo y artístico, no una empresa didáctica. Es pronto para intentar una clasificación definitiva, y quizá siempre lo será, pues aun si la obra de un escritor pertenece al pasado, la perspectiva de quienes la estudian cambia a la vez que el modo de situarla en relación con las demás. Sin aceptar las clasificaciones propuestas, entiendo que se produjo en algún momento un cambio en la escritura de Delibes, y son los textos reveladores de ese cambio y sus consecuencias los que me propongo estudiar.

En las seis últimas novelas de Delibes hay una actitud hacia el lenguaje y su relación con el progreso —con el auténtico y con el llamado «culatazo del progreso» [4]— que marca por su insistencia los textos en cuestión. Conviene examinar esa actitud. Definirla, no; no ha llegado el momento. Será útil, sin embargo, ir explorando cómo se manifiesta artísticamente la preocupación central del autor, su «obsesión antiprogreso», según él mismo la ha definido recientemente en el ensayo titulado «Mi obra y el sentido del progreso» (en *S.O.S.*, pp. 74-86). La utilización exclusiva de términos de crítica literaria para entender esa preocupación sería un error, ya que el desarrollo de una preocupación de orden moral más que estética, como lo es la manifiesta por Delibes, exige ante todo el reconocimiento cabal

---

*lística de Miguel Delibes*, 1973), Edgar PAUK *(Miguel Delibes: desarrollo de un escritor [1947-1974]*, 1975), Alfonso REY *(La originalidad novelística de Delibes*, 1975).

[4] El autor explica esta noción en su ensayo «El progreso» (en *S. O. S.*, Barcelona, Destino, 1976, pp. 24-28). Cito siempre en este libro por las ediciones de Destino; y la paginación va entre paréntesis en el texto.

de su circunstancia, y al ser ésta unos textos novelescos, parece consecuente estudiar el medio por el cual se transmite la preocupación: el lenguaje, determinante del estilo y componente fundamental del texto.

Con los años cambiará, seguramente, la manera de considerar la cuestión. Por ahora, me atendré al análisis del lenguaje como espejo de la preocupación reinante en las novelas experimentales, si bien latente ya en las novelas realistas. El material lingüístico en las novelas de Delibes no ha sido estudiado con el rigor crítico que merece, y a ello se debe, creo, el que *Las ratas* haya sido agrupada con las novelas realistas. Yo la considero la primera de las experimentales; las otras, como bien se sabe, son: *Cinco horas con Mario, Parábola del náufrago, El príncipe destronado, Las guerras de nuestros antepasados* y *El diputado voto del señor Cayo.* Espero demostrar en el curso de este estudio las conexiones que hacen de estas seis novelas un conjunto.

La lección más sonada de nuestra época tecnológica parece ser que la proliferación de nuevos términos, e indirectamente de nuevos conceptos, no conduce necesariamente a la claridad o al bienestar, sino a una mayor y a veces innecesaria complicación de la vida. Esa «lección», o experiencia decepcionante del mundo actual, la expresó con toda claridad Delibes en su discurso de ingreso a la Real Academia Española de la Lengua, «El sentido del progreso desde mi obra». Allí declara que lo «intuía vagamente al escribir [su] novela *El camino* en 1949» *(S.O.S.,* p. 20). Cinco lustros después, su preocupación fue explicitada en el mencionado discurso:

el verdadero progresismo no estriba en un desarrollo ilimitado y competitivo, ni en fabricar cada día más cosas, ni en inventar necesidades al hombre, ni en destruir la Naturaleza, ni en sostener a un tercio de la Humanidad en el delirio del despilfarro mientras los otros dos tercios se mueren de hambre, sino en racionalizar la utilización de la técnica, facilitar el acceso de toda la comunidad a lo necesario, revitalizar los valores humanos, hoy en crisis, y establecer las relaciones hombre-naturaleza en un plano de concordia.

(pp. 20-21)

Estas palabras, pronunciadas en 1975, serían buen epígrafe para *Parábola del náufrago,* en donde el autor ya había presentado en forma artística la «tecnología desbridada», criticada en su discurso; basta recordar los subtítulos del discurso para evocar el mundo novelesco de *Parábola:* el progreso, el signo del progreso, el deseo de dominación y la naturaleza agredida, desvalijada, envilecida.

Que el empeño terminologizante caracterice la crítica literaria contemporánea no es dudoso, ni acaso evitable, debido al auge de la lingüística y su natural invasión de la crítica literaria; que los efectos sean benéficos, es menos seguro. Puede haber tantos términos como individuos y obras que los ocasionen. Crece a diario el número de idiomas, naturales y artificiales, así como el de los términos empleados en un idioma para designar las mismas cosas. Traducir pronto será exasperante por la acrecentada masa de invenciones que, aun si circulan durante poco tiempo, dejan después complicados y a veces imperecederos restos de su paso efímero. El conocimiento de los residuos y desperdicios y de lo que puede hacerse con ellos ha llegado a ser casi tan vital como alguna vez lo fuera el conocimiento del aprovechamiento de los productos mismos, y en una época en la que parecen durar más restos que ruinas se nota el peligro de los desperdicios que no cabe reaprovechar. Las estadísticas del año 1975 eran aterradoras; Delibes apunta algunas en *S.O.S.:*

> Norteamérica, con sólo un 6 % de la población mundial, [...] produce el 70 % de los desperdicios sólidos del mundo. Entre Europa y Estados Unidos, con un 16 % de la población mundial, devoran el 80 % de los recursos del globo limitados e irrecuperables.
>
> (pp. 52-53)

Lo que hace sólo diez años pudiera haber sido advertencia que sonaba casi a sermón, es ya hoy un «s.o.s.» para todos. Mientras tanto, el lenguaje con aparente dadivosidad llena el aire, las pantallas y cantidades inauditas de papel, amenazando con destruir nuestra capacidad de reflexión.

Otra razón por la que me abstengo del empeño clasificatorio, que desde los hábitos académicos tal vez parezca recomendable, es mi deseo de no añadir al sedimento de las explicaciones ya existentes de la obra de Delibes una complicación innecesaria. Opté, pues, por estudios separados, pensando que vale más explorar una obra con palabras bien conocidas que lanzar un sistema clasificatorio temerario en sus bases teóricas sobre muchas obras. Cuando se trata de comentar la obra en marcha de un escritor que está lejos de darla por conclusa, parece más válido explorar que explicar. Pudiera estar equivocada al plantear así la cuestión, pero las obras analizadas aquí exigen por su forma experimental un trato cauteloso que centre la actividad crítica en lo más sólido: la palabra. Si el artista ha creado nuevas formas, ¿no deben sus comentaristas usar la mayor prudencia al aplicar conceptos críticos ideados para otras formas?

Es tentador revestir los estudios literarios de todo el inmenso aparato crítico hoy accesible; tentador, imitar el efecto semi- (o seudo-) científico que la utilización de tal aparato garantiza, y tentadora la comodidad resultante de hablar de la literatura como si se tratase de materia lingüística. Son instrumentos útiles, términos como tema y estructura, o sus versiones más a la moda, ideologema, oposiciones binarias, intertextualidad..., siempre y cuando no conduzcan a lo que V. S. Pritchett, en su nuevo libro *The Myth Makers: Literary Essays,* ha llamado «ferretería intelectual». Dice el crítico inglés: «Literary criticism does not add to its status by opening an intellectual hardware store.» Comparto la opinión de Pritchett, que añade lo siguiente: «The duty of the critic is to literature, not to its surrogates.» Así como un reconocimiento médico puede dar lugar a pruebas de distinto tipo y facilitar numerosos datos sobre el paciente, la crítica puede ramificarse en múltiples hipótesis y métodos y proporcionar muchos datos relacionados con la obra de un autor. Lo que sin embargo ninguna colección de términos y conceptos puede dar es una imagen cabal del texto. Quizá al aportar cada crítico una perspectiva irremediablemente (y afortunadamente) subjetiva, y unas convenciones interpretativas, no sea posible lograr esa imagen. Pero quisiera, por lo menos, esforzarme en conseguirla, teniéndola como meta ideal, aunque lejana.

Con la ramificación de métodos y términos en la crítica contemporánea —y no sólo en la americana, como dice Pritchett, pues la francesa aporta también buenas muestras de complicación y diversidad— se han multiplicado los sinónimos y antónimos aplicables a una obra literaria. Y la abundancia de posibilidades tiende a perturbar el equilibrio necesario entre el siempre *uno*, el texto, y el ahora incrementadísimo número de *varios:* las lecturas «críticas». Usurpa el espacio de la lectura individual (que no por carecer de método vale menos) la gran cantidad de lecturas oficializadas por el mero hecho de circular impresas: o porque alguien quiso, de veras, instituir en dogmas su reacción intelectual, o porque había que hacer algo, y bien o mal, salió, a menudo para el consumo de quienes viven pendientes del «último grito» teórico.

Si un texto se puede mirar desde X maneras, y si puede vérsele a través de lentes críticas diferentes y hasta antagónicas, pluralidad que en principio enriquece el sentido de la obra estudiada, la acumulación masiva de perspectivas aleja más bien que acerca la síntesis; conduce a la fragmentación, a las oposiciones excluyentes. Con ser tantos los criterios, no sabemos si alguno sobrevivirá. Y la utilización de esos criterios puede producir una complicación grotesca, como ya vio un surrealista español, Eugenio F. Granell, en su deliciosa novela *El clavo* (1967), en la que cuenta cómo en una sociedad fantástica de tecnología desbocada se discute sobre el método para investigar algún asunto (todo en vena satírica):

> Se habló —aunque parezca fábula— de división de criterio en los medios superiores. De una parte estaban, en efecto, los partidarios de una metodología del método aplicado. A éstos se enfrentaban los acérrimos defensores de la aplicación a rajatabla del método de la metodología teórica. Al amparo de la escisión —pues ya se sabe que la ocasión la pintan calva— proliferaron las capillas minoritarias de los defensores del método aplicado de la metodología empírica, los de la metodología metodológica de la aplicación funcional, los del método puro, los de la metodología asistemática, y los que prefirieron llamarse a sí mismos fundadores de la metodologización metodologizada. Pero todo fue inútil, ya que nunca se aprende en cabeza ajena.
>
> (p. 55)

Confieso que mi método, si lo tengo, es «explorativo». Naturalmente, he aprendido y me he aprovechado de los métodos utilizados en otros trabajos (formalista, estructuralista, estilístico); pero no pretendo ser ecléctica. Mis observaciones se basan, ante todo, en la lectura y relectura de las novelas, en una reflexión sobre el arte de Delibes, y en la convicción de que los textos examinados plantean de modo original el problema del lenguaje en el mundo contemporáneo. Si de veras se da esta comprensión lingüística, relacionada con la preocupación central del autor por el progreso, es recomendable repensar su obra novelística. Con esta idea incluyo como «experimentales» tres obras que han sido consideradas tradicionales por contener algunos elementos «realistas»: *Las ratas, El príncipe destronado* y *El disputado voto del señor Cayo* (la última, la menos experimental).

Si mi lectura de estas novelas peca por demasiado subjetiva, espero que al menos contribuya a la interpretación general de la obra de Delibes. En las novelas anteriores a las estudiadas por mí se transparenta mucho menos, o no se percibe apenas, la actitud hacia el lenguaje presente en éstas.

A partir de *Cinco horas con Mario*, el autor concentra en la experiencia verbal del personaje la intención temática, permitiendo que la novela crezca sobre esa base. En las primeras novelas, en cambio, los temas se traslucen más en lo que hacen los personajes que en lo que dicen, escriben o callan. El novelista ha aclarado cómo los personajes urbanos de esas novelas retornaban a sus orígenes en momentos de crisis; en un acto simbólico la crisis se mostraba. Pero desde *Cinco horas con Mario*, no será la conducta, sino el lenguaje, el medio en el cual suceden las cosas, y en ello consiste la mayor novedad artística: en el énfasis puesto en el lenguaje. El particular interés de las últimas novelas estriba, a mi ver, en la construcción meticulosa de un lenguaje adaptado a las circunstancias y al temperamento del personaje. Gracias a esto, los temas —el aislamiento; la rebelión contra la burguesía o contra la burocracia; la decepción que acompaña a la iniciación a la vida adulta; la superioridad del campo y del hombre rural sobre la ciudad y el hombre urbano; el sacrificio de la naturaleza a la industria; la incomunicación; los efectos nocivos del medio doméstico; las aberraciones de la medicina moderna— aparecen encarnados en individuos sorprendentemente captados por la manera de hablar. Compenetrado con el habla del personaje hasta el grado que lo estuvieron Galdós o Baroja, inventa Delibes novelas de gran diversidad estilística y de vivísima palabra: las estructuras lingüísticas del personaje dan la pauta —generalmente dialéctica— de la estructura novelesca.

Desplazando el centro de interés a la experiencia verbal del protagonista, lo cual supone a la vez aceptar su perspectiva, el narrador se ajusta en cada novela a una situación, de forma que conserva la proximidad psicológica al protagonista y a la vez cumple las nuevas estipulaciones hechas consigo mismo. Es flexible el narrador, de obra en obra; capaz de modificar su voz y expresión para no desentonar. Puede ocurrir así porque el autor tiene conocimientos léxicos amplios, arraigados en el manejo de materias extraliterarias (el comercio, el derecho, la caza, la pesca, el periodismo, el dibujo, etc.), manejo útil para disciplinar el uso de una lengua muy rica y para entender la funcionalidad del término. En la caza, como en la pesca y la vida rural en general, la palabra tiene que servir para algo concreto antes de ser puesta en circulación. La abundancia o facilidad verbal —la palabrería— no se cotiza, ni se considera prueba de inteligencia; por sus actos y no por sus palabras, como reza el viejo dicho, se mide al hombre. Esto es obvio, pero en el medio urbano contemporáneo la importancia creciente atribuida a las palabras lo disimula, así como las reuniones de profesores cada vez más delirantes (simposios que son pueblos instantáneos, coloquios y conferencias que compiten por quienes pudieran escuchar, o al menos, oírlos), parecen confirmarlo.

El rechazo de la sobriedad expresiva en beneficio de la palabrería está visto por Delibes como un peligro. Si en nuestra época se marcan hasta las naranjas con una tinta indeleble, la ropa con el nombre del fabricante-diseñador, y la pantalla del televisor superpone un mensaje a otro, y a otro y a otro..., habrá que concluir que la ubicuidad de la palabra la está futilizando. ¿Desde dónde no asaltan ya palabras y números? Del intercambio intelectual, propósito civilizado, se ha pasado a la rutinaria colisión verbal; de las masas a la demasía, con acumulación de mensajes triviales. (El desajuste entre los televisores y el reloj de la Puerta del Sol en Madrid pudo ofuscar hasta el fino instante del cambio de año —1977 al 1978—, mostrándose la confusión en muchos sitios a la vez en los aparatos que lo registraron.) Los fragmentos verbales —medias palabras, jerga, abreviaturas, iniciales, acrónimos, letras arbitrariamente unidas para «significar» algo— se añaden a las cosas, decorándolas según diría el comerciante. Retener toda esta materia verbal, es enloquecerse; no recibirla, es apagarse; medio verla y olvidarla, que parece ser nuestro destino común, es dejar quién sabe qué fermento absurdo en el cerebro, posiblemente averiado ya por el prolongado contacto con lo contaminado y lo sintético. Habrá que esperar a que se escriba todo, para borrarlo y, por si acaso, ahuyentar del habla la degeneración y la fragmentación. ¿El proceso es irreversible, y sólo cabe observarlo? A Delibes le preocupa sobremanera; ha afirmado en uno de sus diarios, *Un año de mi vida* (de 1972), que no escribe novelas para entretener, sino para «inquietar» (p. 9). Y al ingresar en la Academia reiteró su preocupación.

La supervivencia de la espiritualidad y de la relación humana con la naturaleza —«el chivo expiatorio del progreso» *(S.O.S.,* p. 46)— es tema en *Las ratas,* cuyo medio primitivo hace pensar que quizá el autor quería, por lo menos en su literatura, sacudirse de encima la tecnología. Allí revela por primera vez una valoración plena del lenguaje hablado por un personaje distinto de los anteriores en obras suyas, y muy lejano de la situación socioeconómica del autor. El cuidadoso estudio del ambiente rural revela que la comprensión autorial de lo que constituye el «lenguaje» es más rica que lo era en *El camino,* y nada reaccionario o realista, como alguien ha dicho en alguna ocasión.

En *Cinco horas con Mario* se presenta la curiosa situación lingüística de un diálogo entre una mujer gárrula y el «receptor», hombre parco y, para colmo, ya muerto. Al extremar la situación —la confesión del cónyuge sobreviviente— el autor opuso el hablar al callar, dibujando, gracias a la sostenida actividad emisora de un personaje, a uno y filtrando a través de sus palabras al otro. El lenguaje hablado sirve aquí para retratar a quien habla y a la sociedad que lo forma.

Que le desagrada a Delibes el lenguaje oficial, el lenguaje con carga de prejuicios, frases hechas, fórmulas hipócritas, tics, modas autosatisfechas, es visible cuando comparamos el habla de Carmen con el silencio de Mario; que le preocupan las ulteriores consecuencias que todos sufriremos si triunfa el modo de pensar (no-pensar) plasmado en ese habla, se desprende de la novela publicada tres años después, *Parábola del náufrago;* que haya querido volver al comienzo, a examinar cómo si inicia en el ser humano la expresión y la comunicación, lo leemos en *El príncipe destronado;* y que sabe enfrentar dos hablas, productos de modos incompatibles de imaginar y vivir —la urbana y la rural—, se muestra en *Las guerras de nuestros antepasados.* Cómo aprendemos, nos defendemos, comunicamos o no comunicamos, nos ocultamos o nos revelamos en el lenguaje, es el tema unificante de estas novelas. La relación entre el habla y la personalidad se investiga en cada obra, y se demuestra cómo el condicionamiento verbal y la influencia variable del lenguaje en los medios sociales afecta a los personajes. Por la inventiva deliciosa y el valor estilístico de estas novelas, creo que merecen estudio detenido. Está claro que no sólo lo lingüístico importa en ellas; han llamado la atención a la crítica por otros aspectos igualmente interesantes. Lo que falta, a mi ver, es una concatenación de observaciones sobre lo que aporta el análisis del lenguaje, de la actitud hacia el lenguaje y el medio en nuestra era supertécnica.

La última obra incluida en este libro salió en enero de 1979: *El diputado voto del señor Cayo.* Mucho más sencilla que las anteriores, de composición y estructura escuetas, y más cercana al realismo, linda con el relato. Se adhiere a este grupo, sin embargo, porque el autor estudia en ella por primera vez otro lenguaje: el político no totalitario, visto en su transmisión y contexto mecánicos, y contrapuesto al lenguaje y a la persona desprovistos de tecnología: a las palabras de un viejo campesino.

Quiero hacer constar mi gratitud a Temple University por la ayuda económica que me fue concedida para escribir este libro.

# CAPITULO I

## LOS CODIGOS DEL CAZADOR:

### *LAS RATAS*

Para comenzar este capítulo, aclararé por qué he incluido *Las ratas* entre las obras experimentales de Delibes. La crítica la considera generalmente obra realista. Si el criterio es histórico-literario, pertenece a la primera época por la cronología, por el escenario, por la sencillez estructural; por la relación entre narrador y personajes y la falta de fragmentación; por la forma tradicional y el estudio de una figura (el Nini) a través de la psicología y la sociología. *Las ratas* es, de hecho, una culminación del realismo que hizo famoso a Delibes desde *El camino* (1950). Después de *Las ratas* se produjo un abandono de las formas que caracterizan *El camino* y las demás novelas tempranas: *La sombra del ciprés es alargada* (1948), *Aún es de día* (1949), *Mi idolatrado hijo Sisí* (1953), *La hoja roja* (1959), así como el tomo de cuentos *La partida* (1954). Si prefiero agrupar *Las ratas* con las cinco obras siguientes es porque en ella encuentro una intensidad y una sistematización de los elementos lingüísticos que la acerca a la obra posterior, distinguida por la inventiva y caracterizable por la misma intensidad y sistematización reiterativa de esos elementos.

Es posible y aconsejable estudiar la obra de este escritor, eminentemente preocupado por el destino del hombre moderno, basándose no tanto en las técnicas novelísticas como en la comprensión de su actitud hacia el lenguaje. El concepto del lenguaje en sus novelas abarca sobre todo la experiencia verbal del personaje y trasciende la noción de lenguaje literario propio de un estilo determinado. Como el autor no escribe para innovar o entretener, sino para «inquietar», no es posible separar el análisis estilístico de la convicción subyacente en sus obras: el hombre moderno, en su afán de ganar, no hace sino perder. Al perder su lenguaje, pierde su persona.

En *Las ratas*, tan tradicional estéticamente, pueden pasar inadvertidas la intensidad y la sistematización; el marco familiar ofrece, sin embargo, un nuevo contenido, y creo que se debe a la preocupación por el deterioro del lenguaje en el mundo contemporáneo, síntoma de descomposición que reaparece agravado en novelas posteriores. En *Las ratas* se intenta conservar lo que está perdiéndose: la unión entre la palabra y el hombre. Quizá no se note el hecho de que el protagonista no se parezca a los de las ficciones del siglo XIX —el (o la) joven de provincias o de la ciudad— y recuerda más bien al hombre primitivo; el tío Ratero y el Nini prefieren quedarse en su cueva a vivir en «el mundo». Presentan un caso mucho más extremo que el de Daniel, aferrado a su pueblo (en *El camino)* y sin interés por ascender en la vida. Aquellos dos ni viven en el pueblo. ¿Cuáles son sus palabras, qué relación se advierte entre su expresión verbal y su actividad cotidiana? ¿La toma en cuenta el narrador al contar su historia? La contestación a estas preguntas puede guiarnos hacia una lectura de *Las ratas* como la iniciación del Delibes experimental.

Así como el autor inserta al comienzo de la novela un pequeño mapa de la zona que el narrador irá revelando como mundo novelesco, quisiera empezar con un esquema provisional del modelo estilístico, comparando el lenguaje empleado por el narrador con el atribuido a los protagonistas. Creo que el modo de contar sugiere una actitud hacia el lenguaje compartida, aunque no adoptada del mismo modo, por el Nini y el Ratero. Ellos, a fin de cuentas, son campesinos carentes de la elasticidad verbal del escritor, pero si tuvieran más habilidad expresiva acabarían hablando de forma semejante al modelo propuesto por el narrador: preciso, arraigado en una visión del mundo coherente y respetuoso de las leyes de la naturaleza. Este punto es fundamental para una valoración del estilo de *Las ratas*, donde por primera vez el autor marca una diferencia clara entre el habla de las figuras ficticias y la suya, y a la vez consigue compenetrarse con ellas. No atribuye a los personajes un lenguaje demasiado culto, como en *La sombra del ciprés es alargada* y *Aún es de día* (allí narrador y personaje se confunden a veces); respeta la distancia originada en la limitación verbal de sus criaturas y capta los matices de seres que apenas son capaces de articular sus pensamientos. El análisis de la primera imagen de la novela —lo visto por el Nini desde la cueva— permite comprobar la existencia de una relación visible a lo largo de la novela:

> Poco después de amanecer, el Nini se asomó a la boca de la cueva y contempló la nube de cuervos reunidos en consejo. Los tres chopos desmochados de la ribera, cubiertos de pajarracos, parecían tres paraguas cerrados con las puntas hacia el cielo. Las tierras bajas de Don Antero, el Poderoso, negreaban en la distancia como una extensa tizonera.
> La perra se enredó en las piernas del niño y él la acarició el lomo a contrapelo, con el sucio pie desnudo, sin mirarla; luego bostezó, estiró los brazos y levantó los ojos al lejano cielo arrasado:
> —El tiempo se pone de helada, Fa. El domingo iremos a cazar ratas —dijo.
>
> (Ed. Destino, 1962, p. 9)

Es difícil ahuyentar el recuerdo de la cueva platónica, metáfora del estado primitivo del hombre que todavía no ha «visto la luz». Efectivamente, es la luz —real— lo que hace salir al niño de su refugio, pero lo que ve no es la luz cegadora de Platón, emblema del conocimiento racional, sino el espectáculo más bien lúgubre de un mundo enajenado y hostil. La «nube de cuervos» habla lo suyo, o dicho con el lenguaje poético del narrador (y esto es un ejemplo de la compenetración imaginativa entre narrador y personaje, aunque no compenetración expresiva, pues el Nini no sabría expresarse con tanta sutileza): estaban «reunidos en consejo»; los tres chopos «parecían tres paraguas cerrados», los «pajarracos» allí posados también están recogidos; las tierras del Poderoso, negras como los pájaros siniestros, se divisan abajo: «negreaban en la distancia como una extensa tizonera».

El cuadro está compuesto por elementos coincidentes en el colorido y en lo cerrado. La luz en sí sólo importa para iluminar estas cosas, que no tienen aún significación precisa, pero que presagian un mundo inhóspito. Y resultará cierto el presagio, pues al final de la novela los personajes quedan tan marginados e incomunicados como estaban al principio, acompañados únicamente por la perra «Fa», el animal con quien conviven. La perra recibe la misma atención descriptiva que los protagonistas, el tío Ratero y el Nini, quizá porque en este mundo semiprimitivo ella es casi tan importante como los hombres: compañera y colaboradora en la caza de ratas, cuenta mucho en la actividad vital de sus amos.

Cuando habla, el niño se dirige a la perra como si no hubiera gran diferencia entre conversar con el tío Ratero y conversar con el animal; ambos responden en un lenguaje funcional que, si bien se compone de palabras cuando proviene del viejo, son tan parcas y prácticas que la perra entiende sin vacilar su sentido. De hecho, la «Fa» puede en ocasiones ser tan expresiva como él: «El tío Ratero rebulló dentro, en las pajas, y la perra, al oírle, ladró dos veces» (p. 9). El intercambio de sonidos conecta a los dos seres, y podría ser traducido de varias maneras, porque no es el contenido literal, sino el visceral, el que cuenta. Como ejemplo de la arbitrariedad de palabras que parecen apuntar algo en concreto, pero que en realidad podrían ser sustituidas por otras que cumplieran la misma función fática, consideremos el intercambio en una serie de traducciones posibles:

| *el tío Ratero (rebullido)* | *la «Fa» (ladridos)* |
| --- | --- |
| —Aquí estoy. | —Ya. Yo también. |
| —¿Qué hacéis? | —Nada, aquí. |
| —¿Dónde está el Nini? | —Estamos aquí. |
| —¿Qué pasa? | —Nada, nosotros, aquí. |
| —Algo me despierta. | —¡Ya puedo ladrar! |
| —(Ningún mensaje, sólo el ruido al abrir los ojos.) | —¡Guau, guau! (Eco del amo.) |

Si entro en esta «interpretación» de un «diálogo» consistente en un movimiento audible y dos ladridos no es por capricho, sino para señalar que el intercambio vocal —y no verbal— es una forma de comunicación natural en este mundo novelesco, donde entenderse no implica hablar. El narrador no se interesa en adivinar lo que se hubiera dicho (de ser dicho algo en palabras), sino en transmitir el acto comunicativo tal y como se produce; si sólo una parte es verbal (como sucede cuando los hombres se dirigen a un animal), sólo esa parte se graba así; si ambas partes se entienden sin palabras, así se constata en el texto.

Que existan tales comunicaciones, no es cosa nueva; son las primeras que experimenta el ser en su estado preverbal; sólo poco a poco concentra sus mensajes en palabras, dejando fuera el lenguaje visceral que le sirve hasta que adquiere el verbal; el lloro, la sonrisa, toda una gama de expresiones faciales y de gestos hacen las veces del habla hasta que la palabra le permite participar en la vida de otro modo. Delibes se interesa mucho en el aspecto semiótico de la comunicación, y en *Las ratas* empieza a demostrarlo; en *El príncipe destronado* y *Las guerras de nuestros antepasados* volverá sobre el tema.

Cuando cuenta el narrador cómo caza el trío de personajes a que me estoy refiriendo, describe así su modo de entenderse:

La perra se retiraba [de la hura] sin oponer resistencia. Entre ella, el Nini y el tío Ratero existía una tácita comprensión. Los tres sabían que destruyendo las camadas no conseguirían otra cosa que quedarse sin pan. [...] Análoga actitud pasiva adoptaba la Fa si la cueva se abría bajo el nivel del agua, a sabiendas de que su participación era inútil.

(p. 35)

La comprensión se basa en el conocimiento y en la experiencia común; comparten ciertos saberes que no dependen de palabras para ser comunicados. La «actitud pasiva» de la perra ante una cueva abierta bajo el nivel del agua se basa en saber que el tío Ratero se encargará de este caso, y que ella no debe intervenir. Por elementales que sean estos saberes, no dejan de serlo, ni de interrelacionarse con otros en un sistema que en su totalidad no es ya tan elemental, como comprobará quien observe la presentación de la vida rural en *Las ratas*. La función del lenguaje hablado en un mundo campesino es más reducida que la que desempeña en el mundo ciudadano. Harto lo sabe el narrador, y por eso construye su historia con formulaciones concretas, manteniendo al mínimo las disquisiciones abstractas y las generalizaciones que recordarían al lector la literaturidad de la historia y la cultura del autor.

¿Cómo, entonces, «escribe» la historia? El mérito mayor de *Las ratas* es su coherencia estilística, y esa coherencia no se debe a un despliegue de versatilidad narrativa, sino a una disciplina rigurosa y a la selección de elementos lingüísticos que por ser insistente y sistemáticamente subrayados cobran valor estilístico. Tres de esos elementos son: el uso de los nombres del Santoral, el apodo y el léxico rural. Se permite que algunas peculiaridades verbales del medio impriman carácter al texto.

## El Santoral

Hay aproximadamente ochenta y cinco menciones del Santoral, y la novela tiene 164 páginas (en la edición Destino); a cada dos páginas corresponde, pues, una referencia al Santoral. Evidentemente, la presencia de los nombres de santos afecta el carácter de la obra. La función básica del Santoral en *Las ratas* es sencilla: servir como calendario de fechas (unas más memorables que otras) que, celebradas religiosamente o no, constituyen un sistema de dividir para la comunidad los trabajos y los días del año. El Santoral propone un sistema cíclico para regir la vida cotidiana. Es obvio el hecho, pero la existencia de tal organización temporal compartida por una comunidad ha dejado de caracterizar la vida de muchos grupos —masas, en realidad— urbanos, en los cuales se entrecruzan gentes, ritos y creencias diversas, haciendo que crezca la sensación de vida fragmentada y sin orden característica de la vida contemporánea. Como sistema, el Santoral es un modelo de unidad, y es bueno investigar su funcionamiento en dos contextos: el de la vida del pueblo y el de la elaboración artística de esa vida.

La tradición católica es el referente del Santoral: los días de santos son, en su origen, días festivos para los creyentes, pero en el ambiente rural, donde se trabaja la tierra y se caza para sobrevivir, las asociaciones piadosas tienen menos fuerza que en otros medios. Las estaciones del año, no las de la cruz, preocupan diariamente al campesino, necesitado de un ritmo que determine cuándo debe emprender con seguridad sus variadas actividades productoras y cuándo abandonarlas. Las fechas del Santoral son referencias dobles: además de días señalados (en lo religioso), sirven de punto de referencia común para conversar sobre las probabilidades de lluvia, del clima, las cosechas, la reproducción de los animales domesticados. A veces la referencia primaria, la religiosa, pasará sin ser notada, ya que el Santoral sirve sobre todo para contrastar cómo estaban las cosas el año pasado por tal o cual fecha. En *Las ratas* vemos cómo estas fechas sirven para crear un marco común para el recuerdo colectivo.

La primera mención del Santoral ocurre pronto (página 21), y no sólo indica la utilidad del día de determinado santo como fecha en la que se debe hacer algo —matar un cerdo, por ejemplo—, sino que sugiere un necesario respeto por el tiempo: saber aguardar el momento propicio para hacer lo que ha de hacerse. Las labores emprendidas a destiempo no rinden, y los efectos del respeto por la ley natural, en cambio, se palpan. La señora Clo, insegura sobre cuándo debe matar el cerdo, lo consulta con el Nini, cuya seguridad le orienta. Y si ella, que es adulta, pregunta al niño, es porque, como todos los del pueblo, reconoce que él entiende el tiempo de las cosas. La mención del día de San Dámaso como aquel en que debe matarse el cerdo, constituye un primer tipo de referencia al Santoral.

Hay seis tipos de referencias al día del santo: como índice temporal para una acción (quince casos, pp. 21, 28, 34, 36, 40, 44, 48, 67, 71, 72, 92, 108, 115 y 153); como fecha que por el nombre que lleva ayuda a recordar cuándo ocurrió algo de importancia (nueve casos, pp. 31, 43, 77, 82, 135 y 155); alusiones al santo en un refrán (seis casos, pp. 26, 35, 96 y 141); los supuestos de la integración del Santoral con otros saberes (cuatro casos, pp. 25, 26, 135 y 137); alusiones de contenido religioso (cuatro casos, pp. 83, 101-102, 124-126, 128 y 160); y finalmente, como punto de referencia para el narrador, presenta cuarenta y siete ejemplos.

Visto ya un ejemplo del primer tipo, pasemos a uno del segundo: fechas que por el nombre del santo ayudan a recordar algo trascendente de la vida del pueblo o en la de uno de sus habitantes. Suelen ser los personajes, y no el narrador, quienes recuerdan el hecho asociado con el santo, aunque sea el narrador quien lo cuente. El narrador adopta *el modo de recordar* del personaje y, por consiguiente, identifica sucesos pasados con días del Santoral; la temporalidad narrativa se corresponde, pues, con el tiempo de lo contado, basado en el mismo sistema rememorativo. Extiende más allá de la narración misma el hábito de describir el tiempo de los sucesos refiriéndolo al Santoral. Los ejemplos de este tipo coinciden en establecer cierta distancia temporal entre la narración y lo narrado: se habla de cosas ocurridas hace dos, cuatro años, y en un caso, veinte años, o se sitúa en el lejano ayer algún cambio que afectó a Villacillórigo, como la llegada de los extremeños al pueblo (p. 77). Los sucesos pueden ser personales y anodinos o pueden afectar a la colectividad, como los accidentes climáticos:

*a)*  Pero una vez —para Santa Escolástica, haría dos años—, el abuelo Román se rapó las barbas y enfermó.

(p. 31)

*b)*  Para San Félix de Cantalicio haría cuatro años, el Nini regaló a la señora Clo un nido vacío de pardillos.

(p. 43)

*c)*  Esto no impedía que apelara [El Undécimo Mandamiento] a sus servicios [los del Nini] cuando le necesitaba, como aconteció, para San Ruperto y San Juan haría dos años, con el asunto de los conejos.

(p. 82)

*d)* Años atrás, por estas fechas, tras la merienda de Santa Elena y San Casto, el Ratero había hecho los ahorros suficientes para salvar el verano.

(p. 115)

*e)* [habla Malvino] —Va para veinte años de la helada de Santa Oliva, ¿os acordáis?

(p. 135)

*f)*  —Se han juntado dos nublados —dijo el niño.
—Dos —respondió el Ratero.
—Como en el cincuenta y tres por San Zenón, ¿no recuerda?

(p. 155)

Cuando las referencias al Santoral amplían el tiempo narrativo a otra dimensión, la estructura cerrada del ciclo se abre a perspectivas más vastas. La novela empieza un otoño y termina justo antes del siguiente, pero no deja la impresión de algo acabado —el efecto buscado y logrado por el carácter traumático de los sucesos y por la estructura temporal en *Nada,* de Carmen Laforet—, sino de algo que está en trance de renovarse. Debido al uso insistente del Santoral para organizar la temporalidad, no sólo el tiempo cronológico, sino el personal, el narrativo, etc., la estructura de *Las ratas* no es, de hecho, cerrada, sino abierta a la continuidad y a la expansión siempre. Al concluir la lectura de *Nada,* no hay duda del cambio decisivo acontecido tanto en el ánimo del personaje viviente en el pasado como en el de la narradora, hablante en el presente. Se advierte una nueva perspectiva del lejano ayer, del lugar, de los sucesos y de la persona. Al acabar de leer *Las ratas* no se observan tales cambios.

La mención del día del santo en un refrán supone la inclusión en el texto de frases hechas y refranes populares. Este recurso recuerda una técnica semejante empleada por Cela en *La familia de Pascual Duarte:* se condensa una muestra de refranes para familiarizar pronto al lector con elementos verbales típicos del mundo novelesco, permitiéndole así la experiencia directa de ese mundo. En *Las ratas* se explica que el Centenario solía entablar conversación con un refrán:

—En llegando San Andrés, invierno es —decía.
O si no:
—Por San Clemente alza la tierra y tapa la simiente.
O si no:
—Si llueve en Santa Bibiana llueve cuarenta días y una semana.

(p. 26)

Pero a diferencia del narrador del *Pascual Duarte,* el delibeano tiene una actitud menos esteticista, y quizá más crítica, hacia los refranes. La verdad del refrán, y no su pintoresquismo, es lo que le interesa señalar a Delibes:

El señor Rufo, el Centenario, solía decir: «Después de Todos los Santos, siembra trigo y coge cardos» y los campesinos ponían un cuidado supersticioso en no rebasar esa fecha.

(p. 35)

Si un refrán entra en conflicto con una creencia que resulta ser errónea, el Nini sigue el refrán, aunque no se refiera al Santoral y la creencia sí haga referencia:

La cigüeña casi siempre inmigraba a destiempo, lo que no impedía que el Nini anunciase su presencia cada año con varios días de antelación. En la cuenca existía desde tiempo el prejuicio de que la cigüeña era heraldo de primavera aunque en realidad, por San Blas, fecha en que de ordinario se presentaba, apenas iba mediado el duro invierno de la meseta. El Centenario solía decir: «En Castilla ya se sabe, nueve meses de invierno y tres de infierno.» Y raro era el año que se equivocaba.

(p. 96)

Se alude más adelante a lo discutible de un refrán —cuando viene la helada negra—. El pueblo, angustiado por la falta de sol, recurre a refranes que expresan los matices de la situación: esperanza, miedo, inseguridad frente al clima caprichoso que podría estropear la cosecha:

«Por San Juan, las cigüeñas a volar.»

(p. 141)

«Agua en junio, trae infortunio.»

(pp. 141-142)

«Aguarda a tener el trigo en la panera antes de hablar.»

(p. 142)

Hay tiempos y destiempos, y su impredecible suceder es, para esta gente, «el tiempo»; ciertos refranes vinculados al Santoral tratan de almacenar saberes basados en la experiencia ancestral, sugiriendo una línea de conducta provechosa. Los refranes con santo son variantes de los relacionados con saberes captados por el lenguaje no religioso.

Consciente de la riqueza de asociaciones prácticas que puede tener el Santoral para un campesino viejo, el autor crea un personaje de este tipo capaz de transmitir los conocimientos y actitud hacia la vida al protagonista-niño, todavía ignorante de esos saberes:

El tío Rufo, el Centenario, sabía mucho de todas las cosas. Hablaba siempre por refranes y conocía al dedillo el santo de cada día.

(p. 25)

El sistema de conocimientos del tío Rufo es el que aprende el niño y adopta el narrador para enmarcar la historia. El tiempo-clima, el calendario, el campo y el Santoral son las materias que el niño conoce, y las maneja el narrador, quien advierte bien las interrelaciones entre ellas:

Una vez roto el silencio, el Centenario tenía cuerda para rato. De este modo aprendió el Nini a relacionar el tiempo con el calendario, el campo con el Santoral y a predecir los días de sol, la llegada de las golondrinas y las heladas tardías. Así aprendió el niño a acechar a los erizos y a los lagartos, y a distinguir un rabilargo de un azulejo, y una zurita de una torcaz.

(p. 26)

Pronto, pues, se indica que los hechos en este mundo novelesco estarán entretejidos según un sistema con el cual el lector ha de familiarizarse. El narrador facilita esa familiarización recurriendo con cierta insistencia a elementos de ese sistema y utilizando el Santoral y un léxico muy preciso para describir la vida del campo de que en la novela se trata. La insistencia del narrador obliga a aceptar el Santoral como sustituto del calendario, y a aprender bastantes palabras del léxico campesino. El lector, como el Nini, debe tener «espíritu observador» y curioso para adentrarse en un mundo que, lejos de proyectarse hacia afuera, se recluye dentro de sus bien fijados límites. Se produce la interesante paradoja de una novela cuya estructura temporal es abierta mientras su textura lingüística e ideológica es más bien cerrada.

El uso del Santoral como parte de un cuerpo de saberes colectivos depende en gran parte de la creación de un personaje, el Centenario (hasta su apodo indica temporalidad), de quien el Nini es reconocido heredero espiritual. También sirve el Santoral de otra manera, como guía para el clima: la irrupción de un frío repentino causa estupor, y en la taberna lo comenta Guadalupe, el Capataz: «¿Dónde se ha visto que hiele por San Medardo?» (página 135). Y en la misma escena, otro personaje repite con idéntica incredulidad: «¿Oisteis? —dijo el Pruden—. Aún hay remedio. ¿Por qué no ha de salir el viento? ¿No es más raro que hiele por San Medardo?» (pp. 136-137). Así como fechan los cambios de las estaciones, los santos del día indican la impropiedad de una alteración atmosférica.

Como referente religioso, los días de santo importan menos; de hecho, sólo se registra un caso en la novela: el perro «Lucero» es relacionado con un santo porque su cumpleaños cae en San Máximo (p. 160). Dada la profusión de referencias al Santoral, no deja de sorprender la escasez de esta clase de asociaciones y que la única vez que ocurre sea para vincular «la fecha» a un animal, inconsciente de la coincidencia. No hay celebración, sino mera mención del cumpleaños, un incidente más en la historia.

La mezcla de lo religioso con algo diferente indica que el Santoral está plenamente integrado con los aspectos laicos de la vida del pueblo, aun si a veces borrosamente. Cuando la sequía, «el pueblo acudió en masa a las rogativas» (p. 100), rezando el rosario para pedir la lluvia. La acción «religiosa» está localizada en un tiempo y un lugar del Santoral: «Por San Celestino y San Anastasio concluyeron las rogativas» (p. 101). El marco —el hecho— no habla por el contenido: no se sabe si a la rogativa se asiste con fe, ni si la lluvia llega a causa de la rogativa, pues primero el Pruden, y luego todo el pueblo exaltado, atribuye la lluvia al Nini, que de hecho la anunció. Al día siguiente de profetizarla, «La Resurrección de la Santa Cruz, un nubarrón cárdeno y sombrío se asentó sobre la Cotarra Donalcio» (p. 102). El contexto parece religioso; la realidad subyacente, como en *San Manuel Bueno, mártir*, es más ambigua.

En una fiesta del pueblo, la Pascualla, los extremeños se disfrazan de santos, y el resultado es grotesco, de una teatralidad bufa. Poco después se describe «el libro» del Centenario, que contiene «Sermones para los misterios más clásicos de las festividades de Jesucristo y María Santísima» (p. 128). Contrasta, desde luego, con la representación macabra y el aire postizo de la festividad organizada por Doña Resu. Conclusión: el fondo asociativo religioso del Santoral apenas asoma en *Las ratas*.

Su uso más frecuente y más decisivo es el que hace el narrador cuando alude a cada poco al calendario religioso para situar la acción en el tiempo, enmarcándola así en un esquema mental equivalente al que los personajes utilizarían si retuvieran en la memoria lo que el narrador —memoria artificial— puede almacenar sistemáticamente. Este uso, por ser el más gratuito, atestigua la voluntad de estilo del autor, que en *Las ratas* empieza a afirmar la textura lingüística y estilística típica del Delibes experimental. Un estudio que se propone explorar cómo entre productos artísticos harto diferentes se da una común actitud autorial, centrada en la observación del funcionamiento del lenguaje, ha de empezar por *Las ratas*, donde esa actitud es ya visible. Si *Cinco horas con Mario* ha sido señalada repetidas veces como la primera novela del nuevo estilo de Delibes, tal atribución se debe a que pasó inadvertida la continuidad en la inventiva lingüística: en *Cinco horas con Mario*, construida con el habla de un grupo social preciso, los resultados saltan a la vista, pero esos resultados podían advertirse ya (aunque algo disimulados por el ambiente rural) en *Las ratas*. La función del Santoral es múltiple; además de ser algo típico, opera estructuralmente de las maneras que acabo de exponer.

Aproximadamente la mitad de las alusiones al Santoral sirven para construir una fórmula narrativa personal. El hallazgo artístico de Delibes fue convertir la lista de días festivos de la Iglesia Católica en una fórmula que reemplaza otras que podrían haber servido para contar la historia del tío Ratero y el Nini. Quizá encontró menos apropiada la utilización de recursos tan gastados como, por ejemplo, el del narrador que descubre un manuscrito, el del que finge contar hechos verídicos, o el de quien ofrece la novela como memorias, etc. Habrá tantas maneras de contar un asunto como las hay de interpretarlo. Lo que marca la narración de *Las ratas* es la voluntad de utilizar el Santoral como contexto. Nunca fue utilizado hasta entonces con tal finalidad. Para decir cuándo sucede una acción no es preciso relacionarla con el día de un santo, pero el dato sí es en verdad ambientador: «Por San Albino el cielo arrasó...» (p. 44); «Por San Melitón salió el sol» (p. 75); «A partir de San Gregorio Nacianceno el canto de los grillos se hacía en la cuenca un verdadero clamor» (p. 104). Como estos ejemplos hay muchos más. Todos muestran la tendencia a enmarcar la duración de la novela —un año— en un marco temporal coincidente. Ahora bien, puesto en marcha el mecanismo, el novelista crea un Santoral literaturizado, tal como aparece en el texto. Al emplearlo sistemáticamente, lo convierte en algo nuevo para el lector, en algo que quizá no había notado antes de leer *Las ratas*. La técnica es «realista» en cuanto al aprovechamiento del referente, pero el impacto producido por el uso estilizado del espacio rural no tiene ya mucho que ver con el realismo.

La inclusión de nombres de santos afecta la textura de la prosa, que sería algo más plana y menos evocativa sin esos nombres inusitados que contrastan, por otra parte, con el estilo coloquial de los apodos puestos a los personajes. Si elimináramos ciertas alusiones al Santoral, o si las sustituyéramos por otra indicación temporal apropiada, quedaría modificada —y empobrecida— la prosa narrativa. Contrastemos el efecto del original con el producido por una versión alterada por mí: «Por San Sabas le mordió una rata al tío Ratero» (p. 35), con «*Por entonces*, le mordió una rata al tío Ratero». Y, «Por San Sabas, cuando la rata le mordió un dedo al tío Ratero» (p. 36), con «*Cuando* la rata le mordió un dedo al tío Ratero». Al repetir «Por San Sabas», el narrador plasma en la mente del lector una asociación (San Sabas — mordisco de la rata). Si no hubiera asociado el percance con un día concreto, ni reiterado la asociación, acaso el hecho se habría esfumado en esa mente, sin alcanzar la importancia que se le quiere atribuir. El Santoral es marco de los hechos y del recuerdo de los hechos, a la vez que componente del relieve estilístico.

La adhesión narrativa al Santoral es firme. Se dice, por ejemplo, «Por las Marzas, que este año cayeron por San Porfirio, el pueblo parecía un funeral» (p. 92), expresando así el sentimiento colectivo. En otras ocasiones, la alusión es gratuita: «Una tarde, la víspera de San Restituto, el Nini se encontró de nuevo al muchacho de Torrecillórigo» (p. 118). El día importa poco, mas ya que puede ser mencionado, se le menciona. De este modo el narrador crea un mundo pleno de nombres, y la red asociativa da al Santoral una significación muy rica. Cuando el Centenario muere, no se necesita precisar el día del fallecimiento, pues el dato previo orienta al lector: «Y en efecto, a la tarde siguiente [...] falleció el Centenario» (p. 126); siguiente al ya referido día de San Francisco Caracciolo. La mención no parece gratuita porque poco a poco se ha ido suscitando en el lector una expectativa que relaciona cada suceso con el santo del día en que ocurre. Esto recuerda las equiparaciones galdosianas entre la Historia y la vida cotidiana, paralelos que cumplen análoga función: extender la acción novelesca a otro plano, enriqueciéndola.

A sucesos menos dramáticos que la muerte del Centenario se aplica la misma fórmula: encuadrarlos en el tiempo narrativo, indicando a la vez el día del Santoral en que ocurren. (Hay ejemplos representativos en las páginas 129, 131 y 142.) Si esta información puede indicar un cambio en el tiempo narrativo («Una semana atrás, por Santa Orosia», etc.) o agregarse a él, las referencias al Santoral pueden también crear secuencias narrativas (o rosarios, si se me permite la metáfora). Esta técnica se emplea para describir la cellisca (pp. 57-61); los actos de la comisión que investiga la cueva (pp. 61-64); la esperanza y llegada de la lluvia (pp. 98-101), y el curso de la enfermedad de la Simeona (pp. 147-149). Sería tedioso a estas alturas citar los pasajes correspondientes a cada ejemplo; baste señalar que este uso da consistencia al conjunto, pues en vez de unir el día con la mención del santo, se asocian varios con una acción, destacándola en el marco temporal así forjado.

El Santoral es un motivo. Su significación y expresividad aumentan en la lectura, y en varias ocasiones se advierten en una sola página distintos usos de él que aun si no son analizados por el lector, los recibe con sensibilidad agudizada y predispuesta para ello desde el comienzo. La frecuencia del uso, combinada con lo apropiado del motivo y la acumulación de referencias, orientan plenamente al lector. En la página 142, cuando ya se está bien familiarizado con el sistema narrativo, es posible ver cómo funcionan en conjunto datos del tipo primero («Por San Vito se abre el cangrejo»), del segundo («Y los hombres de la cueva aguardaban el sol cada mañana con la misma vehemencia con que aguardaban la lluvia por Nuestra Señora de Sancho Abarca o por San Saturio»), y del sexto («Sin embargo, cundió un optimismo prematuro por San Basilio, el Magno»; «Una semana atrás, por Santa Orosia, las cosas estuvieron a punto de resolverse»). Tal concentración destaca más de lo normal por la presencia de tres refranes relacionados con el tema de la lluvia.

LOS APODOS

Entre los componentes de esta novela incluyo el uso del apodo, a sabiendas de que tiene antecedentes en *El camino:* Daniel, el Mochuelo; Germán, el Tiñoso; Roque, el Moñigo, como las figuras secundarias, son llamados casi siempre por nombre y apodo. El estilo realista, sencillo y fiel al habla conversacional hace parecer natural el uso del apodo. El autor ensarta unas cuantas anécdotas, contándolas y describiendo a sus partícipes en prosa «literaria». Tal no es el caso de *Las ratas*, en donde desde el primer intercambio entre hombre y perra se advierte otra actitud hacia el lenguaje y otra visión del mundo. Será un lenguaje rigurosamente preciso y rico el que transmita lo ocurrido. Por tanto, el uso del apodo, contrastado ahora con un nuevo lenguaje narrativo, produce otro efecto. Y en esto consiste el experimento artístico: en presentar ese contraste.

El primer apodo mencionado, «el Poderoso», forma parte del cuadro desolador que divisa el Nini desde la cueva, y corresponde a un ricachón, Don Antero, quien, como los demás del pueblo, es conocido por su nombre y su apodo, mientras que a los protagonistas sólo se les designa por el apodo: el Nini y el tío Ratero. No considero insignificante la falta de nombre, pues su ausencia se corresponde con el modo de vivir diferente de los habitantes de la cueva; tampoco tiene «nombre» el lugar en que viven. Al hombre de la cueva, como ser primitivo, se le identifica ante todo por su actividad, su relación con la naturaleza y los animales. Vive fuera de la colectividad, donde los nombres sí son necesarios y los apodos una forma de aclarar quién es, cómo es o qué hace cada cual. El Nini, como el tío Ratero, apenas recurren a los nombres, como se advierte en su conversación con un muchacho que, orgulloso de su perro, dice cómo se llama: «Lucero», y pregunta si le gusta el nombre (p. 160). El Nini, en vez de contestar, «denegó con la cabeza». Cuando el muchacho quiere saber por qué no le gusta, contesta escuetamente: «Es largo.» Los de sus propios perros, «Fa» y «Loy», prueban su actitud hacia los nombres. Ya maneja bastantes, los del Santoral, con finalidad puramente práctica.

Al crear los personajes, el autor separó a los protagonistas [1] de los demás en cuanto a vivienda, oficio, manera

---

[1] Alfonso REY encuentra que hay un «protagonismo colectivo» y que esto «condiciona la arquitectura de la novela y, desde luego, la posición del narrador» (p. 177, *La originalidad novelística de Delibes*). No comparto su opinión, sino más bien la de José R. MARRA LÓPEZ, que denomina al Nini «el niño-adulto-protagonis-

de nombrar, capacidad verbalizante (mínima en la pareja primitiva), humor (falta de él en el Nini) y sabiduría (precoz, en éste). Dadas las circunstancias de su vida, perciben el mundo según leyes naturales —la naturaleza es su escuela, y el oficio de cazadores de ratas su identidad—, y de ellas adquieren los conocimientos precisos para sobrevivir como no podrían lograrlo hombres más civilizados en el reino de la naturaleza; para ellos la vida es algo biológico y por eso mismo, en el pueblo, parecen menos capacitados que los demás. El Nini ni sabe conversar ni reír las bromas; el hablar no es para él lo que es para los hombres de la taberna. En cambio, sabe más en lo tocante al mundo natural, que en su soledad observa continuamente, aleccionándose por lo que ve y por lo que le explican los viejos, el abuelo y el Centenario, que lo han vivido de la misma manera. Tampoco tiene un concepto civilizado de «la propiedad», pues lo único que reconoce como suyo son las ratas. El final de la novela describe el brutal nivel de esa actitud, al mostrar al tío Ratero atacando y matando a un muchacho como si fuera una rata más, y todo porque «le quería quitar las ratas» —su propiedad—. Por su estado salvaje, el tío Ratero cree que matar es hacer su oficio y que habitar en un lugar es adueñarse de él. Las formas «primitivas» de la agresión y de la autoafirmación contrastan con la agresividad «civilizada» de Don Antero, que controla el pueblo valiéndose de la misma ley: por la fuerza se somete al débil.

En *Las ratas* hay un conflicto entre quienes viven al margen de la civilización, los protagonistas, y quienes viven en ella, siquiera pobre y malamente. En *El camino*, el apodo tenía valor caracterizante para todos, mientras en *Las ratas* su valor es cambiante: cuando aplicado al tío Ratero y al Nini, sustituye al nombre, pues en el primitivismo de la cueva éste apenas existe; cuando aplicado a uno del pueblo, tiene el valor caracterizador que en *El camino*. La coexistencia de funciones del apodo es algo

ta» (*Insula*, n.° 186, mayo de 1962, p. 4. El artículo se titula «Miguel Delibes: *Las ratas*»), aunque me parece curiosa esta discrepancia, ya que concuerdo con A. Rey en su conclusión general sobre la novela: «Pero si en su inspiración inicial *Las ratas* se asemeja a otras novelas de Delibes, en su plasmación final tiene mucho de nuevo» (*op. cit.*, p. 177). La «plasmación final» me parece decididamente experimental.

innovador en el estilo de Delibes. El apodo subraya el carácter campesino; pinta al individuo cuando aplicado a los del pueblo y señala la carencia de nombre en los marginados. Como indica Francisco Umbral, Delibes ha «desnoventayochizado» el pueblo castellano al revelar su miseria real: presenta dos figuras que no participan ni aun en la forma más elemental de sociedad; ni siquiera tienen nombre, la desmitificación se completa.

En cuanto al humorismo y la expresividad de los apodos, baste decir que en *Las ratas*, como en *El camino*, son considerables: Justito, el Alcalde; Balbino, el Malvino; el Pruden, Acisclo; el Rabino Grande, el Pastor, y el Rabino Chico, el Vaquero del Poderoso; Don Zósimo, el Curón; Doña Resu, el Undécimo Mandamiento; el abuelo Abundio, el Podador; Don Virgilio, el Amo; Matías Celemín, el Furtivo, etc. Como criaturas de un bestiario, se contraponen a las del santoral del trasfondo. Todos muestran —en caricatura a veces— la condición humana.

La presencia continua del apodo, unida a la mención frecuente de los nombres de santo, da al texto una consistencia nominativa muy peculiar. Ya se ha visto que los nombres de santo destacan por su pintoresquismo, por ser arcaicos o librescos o infrecuentes: Nicasio, Amancio, Albino, Higinio, etc., evocando tiempos y lugares remotos no relacionados con el pueblo perdido de la novela, una región pobre e incomunicada. El ambiente es inconfundiblemente artístico, pues la selección de nombres procede de la pluma del escritor, de su voluntad de estilo, lo que me conduce al último punto de este capítulo: lo que pudiera carecer de interés descriptivo lo convierte el autor en descripción con valor literario. La acción será mínima, pero eso no hace plano o monótono el texto, porque la textura verbal y las alusiones al referente religioso dan a la narración color y relieve:

Dos días más tarde, el Triunfo de San Pablo, salió el norte y el tiempo refrescó. Los crepúsculos eran más fríos y los grillos y las codornices amortiguaron sus conciertos vespertinos. Al día siguiente, San Medardo, amainó el viento y, al atardecer, el cielo levantó y sobre el pueblo se cernió una atmósfera queda y transparente. Ya noche cerrada, asomó la luna, una luna blanca y lejana, que fue alzándose gradualmente sobre los tesos.

(p. 133)

El tempo y el tono, la exactitud de las observaciones, y la sencillez narrativa crean un bello pasaje en donde no «hay» nada.

## EL LÉXICO RURAL

El tercer componente caracterizador en *Las ratas* es la utilización de un léxico rural. En las primeras novelas, Delibes no parece interesarse mucho en las peculiaridades lingüísticas del personaje. Quizá se deba a su interés por los cambios psicológicos. Tiende a utilizar el mismo léxico para todos: el vocabulario del narrador, que a veces peca por demasiado culto. En *La partida* (1954), se reflexiona sobre cómo ciertos pensamientos se corresponden con ciertos nombres y, de hecho, el cuento comienza con la tentativa del protagonista de afirmarse como él cree que debe hacerlo quien lleva el apodo adoptado al marchar de su ciudad, «el Valladolid». El interés autorial se podría resumir en esta pregunta: ¿cómo se va a formar el personaje, y cómo voy a presentar esa formación? Tal cuestión impulsó obras más atractivas psicológica que lingüísticamente, pues en ellas el interés se centraba en la evolución del carácter y no en el estilo de contar.

*La hoja roja* (1959) anticipó el cambio estético de la prosa narrativa de Delibes, y sugiere la razón de que el novelista girase en dirección experimental. En esta obra, el narrador cuida de ponerse «a la altura de los personajes» (Alfonso Rey, *op. cit.*, cap. VII) para dejarles comunicar a su manera —o sea, más eficazmente— la soledad que sienten, tema central de la novela. Dice Alfonso Rey en su estudio esclarecedor:

[el] narrador [está] en un discreto segundo plano. Su función es subsidiaria, en cierto modo tal como sucedía en *El camino*. Ayuda a suplir la incapacidad narrativa de una analfabeta como Desi, o pone orden en los inconexos recuerdos del anciano. También, desde su posición superior, puede mostrar que los itinerarios de los personajes coinciden al final. Pero en cuanto es posible, el narrador se oculta. Por eso los diálogos de los personajes llenan tantos momentos. Y por eso el narrador se limita en muchas ocasiones a describir sus actos externos sin efectuar intromisiones innecesarias en su interioridad.

(p. 154, *La originalidad novelística*)

Aquí se habla de procedimientos que aparecerán en *Las ratas*. Se suple la «incapacidad narrativa» del personaje con la descripción del mundo natural y con el desplazamiento del foco narrativo de un punto a otro. Se «pone orden» con el uso del Santoral y el narrador «se oculta» para que los rasgos idiomáticos destaquen como propios de los hablantes. El único procedimiento de los señalados por Rey para dejar libre al personaje es la abundancia de diálogo. En *Las ratas* no aparece porque lo que en esta novela importaba era explorar las formas de comunicación no-verbal en un medio primitivo. Si no predominan los diálogos no es porque el narrador prefiera llenar las páginas con su voz, sino porque los personajes hablan menos, y a ello hay que ceder para dar una imagen fiel del mundo representado. Los héroes de Delibes tienden en general a callarse. Lo explica el autor así: «Mis personajes hablan poco, es cierto, son más contemplativos que locuaces, pero antes que como recurso para conservar su individualismo, como dice Buckley, es por escepticismo, porque han comprendido que a fuerza de degradar el lenguaje lo hemos inutilizado para entendernos» (p. 83, *S. O. S.*).

Al permitir el predominio de los personajes sobre el narrador, o dejándoles hablar por sí mismos, como en *La hoja roja*, o adoptando su perspectiva del mundo natural, como en *Las ratas*, Delibes abre las puertas de su arte a multitud de estilos: cada personaje que inventa supone un mundo lingüístico ajeno al del narrador y al del autor. *Las ratas* es la primera muestra clara de la incorporación sistemática de un lenguaje especial. En *La hoja roja* las técnicas narrativas permitieron una expresión más libre, pero faltaba el espíritu analítico hacia el lenguaje característico de las obras posteriores, hasta hoy, sin excepción.

En *Las ratas* apenas se explora la interioridad de los personajes, pero se cuida la descripción de sus actos, de sus cosas y del medio rural que habitan. Debido a este cambio de propósito, las descripciones son realmente ejemplares, y calificables de realistas, como antes, por la presencia de lo real, pero reveladoras de un interés en el léxico que predomina sobre lo demás. Entre las novelas contemporáneas españolas, sólo *Las industrias y andanzas de Alfanhuí*, de Sánchez Ferlosio, revela, al hablar del mundo natural, análoga riqueza de vocabulario. Delibes maneja conocimientos y términos botánicos, agrícolas, cinegéticos y ornitológicos con igual soltura, nombrando las cosas con precisión. En *Un año de mi vida* refuta a quienes le han criticado por emplear un lenguaje demasiado técnico, explicando que ha oído usar esos términos, aunque resulte raro para quien vive en una ciudad. Y en *S. O. S.* añade:

> Me temo que muchas de mis propias palabras, de las palabras que yo utilizo en mis novelas de ambiente rural [...], van a necesitar muy pronto de notas aclaratorias como si estuviesen escritas en un idioma arcaico o esotérico, cuando simplemente han tratado de traslucir la vida de la Naturaleza y de los hombres que en ella viven y designar el paisaje, a los animales y a las plantas por sus nombres auténticos. Creo que el mero hecho de que nuestro diccionario omita muchos nombres de pájaros y plantas de uso común entre el pueblo es suficientemente expresivo en este aspecto.
>
> (pp. 77-78, S. O. S.)

La presencia del componente léxico suscita asombro, pues más que incorporación de términos científicos o de otra clase (como en *Tiempo de silencio*, de Martín Santos) se destaca la riqueza de los conocimientos de cosas y palabras del medio rural. Me limitaré a citar varios pasajes que manifiestan cómo se despliegan esos conocimientos. De la botánica, por ejemplo:

> Tan sólo los carrizos, con sus airosos plumeros, y las espadañas con sus prietas mazorcas fijaban en el río una muestra de permanencia y continuidad. Las ralas junqueras de las orillas amarilleaban en los extremos, como algo decadente, abocado también a sucumbir. Sin embargo, año tras año, al llegar la primavera, el cauce reverdecía, las junqueras se estiraban de nuevo, los carrizos se revestían de hojas lanceoladas y las mazorcas de las espadañas reventaban inundando los campos con las blancas pelusas de los vilanos.
>
> (p. 34)

De la caza, actividad principal del Ratero, hay muchos pasajes cuyo léxico revela la experiencia cinegética del autor. Lo que quizá impresiona más es cómo comunica la emoción de la caza, y cómo percibe la naturaleza un cazador, según lo apuntado:

Por San Simplicio, el niño y la perra sintieron la engañosa llamada de la nieve y salieron al campo. Sus pisadas crujían tenuemente, mas aquellos crujidos detonaban en el solemne silencio de la cuenca con una sorda opacidad. Ante sus ojos se abría un vasto, solitario y mudo planeta mineral y el niño lo recorría transido por la emoción del descubrimiento. Dobló el Cerro Merino y al iniciar el ascenso de la ladera, el Nini atisbó el rastro de una liebre. Sus leves pisadas se definían nítidamente en la nieve intacta y el niño las siguió, la perra en sus talones, el hocico levantado, sin intentar siquiera rastrear. De pronto las huellas desaparecieron y el niño se detuvo y observó en torno y al divisar el matojo de encina doce metros más allá, sonrió tenuemente. Sabía, por su abuelo Román, que las liebres en la nieve ni se evaporan ni vuelan como dicen algunos cazadores supersticiosos; simplemente, para evitar que las huellas las delaten, dan un gran salto antes de agazaparse en su escondrijo. Por eso intuía que la liebre estaba allí, bajo el carrasco, y al avanzar hacia él con la sonrisa en los labios, gozándose en la sorpresa, brincó la liebre torpemente y el niño corrió tras ella, torpemente también, riendo y cayendo, mientras la perra ladraba a su lado. Al cabo, el niño y la perra se detuvieron, en tanto la liebre se perdía tras una suave ondulación, los amarillos ojos dilatados por el pánico. Jadeante aún, el Nini experimentó una súbita reacción y se puso a orinar y la tierra oscura asomó en un pequeño corro bajo la nieve fundida. Poco más lejos se agachó y erigió en pocos minutos un monigote de nieve, le colocó su tapabocas y azuzó a la perra.

(pp. 72-73)

En esta extensa cita destaca el sencillo método de narrar: se prepara el escenario (referencia al Santoral, esbozo de lo que ven los ojos del niño), se siguen los pasos del Nini literalmente a la vez que las huellas de la liebre, se intercala lo que sabe el personaje (y esto explica por qué intuye la cercanía del animal cuando desaparecen sus huellas), y se capta «el momento»: la intensificación de la emoción («los amarillos ojos dilatados por el pánico» y el acto de orinar). Todo es sencillo porque el autor conoce bien las reacciones del cazador y las del animal acosado, y sabe cuáles son los detalles importantes: los sonidos, los pasos, cómo se graban en la tierra las huellas. No diserta sobre el animal; describe precisamente sus movimientos.

Por no añadir demasiados ejemplos, me limitaré a transcribir uno relativo a la actividad agrícola, otro aspecto de lo rural:

el Pruden informó al niño que los topos le minaban el huerto e impedían medrar las acelgas y las patatas. Al atardecer el Nini descendió al cauce y durante una hora se afanó en abrir en el suelo pequeñas calicatas para comunicar las galerías. El Nini sabía, por el abuelo Román, que formando corriente en las galerías el topo se constipa y con el alba abandona su guarida para cubrirlas.

(p. 131)

En este pasaje, como en el anterior, se capta un suceso real en el lenguaje más sencillo y preciso; el autor no se vanagloria por su dominio intelectual de los hechos complaciéndose en el detallismo enojoso en que incurren a menudo los neorrealistas interesados en llamar la atención del lector sobre la escritura; se evidencia ese dominio, pero sin alardes. Parece ser cosa más temperamental que estética, y si es así, Delibes revela en sus textos una modestia comparable a la de Galdós, y una capacidad semejante a la de éste para adaptarse al modo ajeno cuando hace falta, literariamente.

El último aspecto de lo rural que quisiera comentar no cae precisamente en el apartado «léxico», aunque esté relacionado con él. Me refiero a las descripciones del clima, fenómeno que, como es natural, ejerce mayor influencia en la vida rural que en la urbana; siendo su mayor fuerza, interviene más dramáticamente en la existencia de los campesinos. En la novela se observa este hecho, y lejos de ser convertido por el autor en mera literatura, sirve para realzar los sucesos e incluso para determinarlos. La espera ansiosa de la lluvia, la repentina helada negra, el sopor canicular —cada uno de estos acontecimientos supone una situación y un efecto sobre los personajes—. El narrador no pierde nunca su conciencia de lo climático; por eso insiste en la equiparación entre tiempo narrativo y tiempo real. Al final del libro, escribe: «Era el fin del ciclo y los hombres al encontrarse en las calles polvorientas se sonreían entre sí y sus sonrisas eran como una arruga más en sus rostros requemados por el sol y los vientos de la meseta» (p. 152). Eliminando el dramatismo simbólico del final de *Nada* (final perfecto para la novela cerrada), el autor de *Las ratas* concibe el cambio de estaciones independientemente de la acción novelesca. En esto difieren de manera interesante estas dos obras; el final de *Nada* implica un cambio en los personajes, mientras que en el de *Las ratas*, los entes ficticios siguen idénticos a como fueron antes. Cuando Andrea describe su partida de la ciudad (Barcelona), cada elemento temporal mencionado está en una ecuación emocional con su estado de ánimo, como se podrá ilustrar traduciendo las frases del párrafo final:

1. «El aire de la mañana estimulaba.»
   (La esperanza de la vida nueva daba fuerzas.)
2. «El suelo aparecía mojado con el rocío de la noche.»
   (Se podía soñar otra vez, libre de pesadillas.)
3. «Antes de entrar en el auto alcé los ojos hacia la casa donde había vivido un año.»
   (Antes de olvidar lo penoso, lo miré por última vez.)
4. «Los primeros rayos del sol chocaban contra sus ventanas.»
   (La nueva alegría no penetraba aquella casa tenebrosa.)
5. «Unos momentos después, la calle de Aribau y Barcelona entera quedaban detrás de mí.»
   (Ya no sentía lo que había padecido.)

Lo que se está contando aquí es una marcha, un cambio espacial, cuando en realidad se está refiriendo a una transfiguración en la narradora.

Observemos ahora el final de *Las ratas*, donde en apariencia hay un cambio: el producido por la muerte del muchacho. Después de matarle, se supone que el tío Ratero cambiará algo —y cambia para los demás personajes y para el lector—, dado lo tremendo del acto, pero su salvajismo sigue igual, inalterado, ya que ni comparte ni entiende las ideas del pueblo. El Nini comprende las consecuencias del homicidio; por eso dice: «Está muerto. Habrá que dejar la cueva.» Y el Ratero se reafirma en su brutal manera: «La cueva es mía.» Se ve a estos dos seres como habitantes de un espacio diferente, por eso las consecuencias normalmente previsibles no se producen, no hay castigo para el matador. La última imagen de la novela indica que para ellos apenas existe la civilización: «Tras el alcor se veía flotar el campanario de la iglesia y en torno a él fueron surgiendo, poco a poco, las pardas casas del pueblo, difuminadas entre la calina» (p. 164). Fiel a la perspectiva adoptada, la de los protagonistas, el narrador deja «difuminado» el crimen; al referirse al espacio salvaje habitado por aquéllos, tiene que aceptar sus reacciones. Que sea el final del año importa poco, pues no se percibe (como en el caso de Andrea, en *Nada)* un cambio en el estado de ánimo. Ya se indicó con la descripción de una sonrisa como «una arruga más», que en este medio nada varía, ni siquiera quien mata a un ser humano. De moral no se trata; la novela acaba admirablemente, mostrando que los únicos cambios importantes en este mundo miserable son los traídos por el giro de las estaciones.

La descripción de los accidentes climatológicos es magnífica. Al desencadenarse la cellisca, por ejemplo, se dice:

El Nini la vio venir de frente, entre los cerros Chato y Cantamañanas, avanzando sombría y solemne, desflecándose sobre las colinas. En pocas horas la nube entoldó la cuenca y la asaeteó con un punzante aguanieve. Los desnudos tesos, recortados sobre el cielo plomizo, semejaban dunas de azúcar, de una claridad deslumbrante. Por la noche, la cellisca, baqueteada por el viento, resaltaba sobre las cuatro agónicas lámparas del pueblo y parecía provenir ora de la tierra, ora del cielo.

(p. 57)

No dejaría de tener valor poético este pasaje en otro contexto, pues como descripción tiene valor en sí; lo que distingue a los paisajes de Delibes es su espesor, su continuidad y su atención al clima. Hay muchas descripciones poéticas de las estaciones, del invierno sobre todo, así como observaciones sobre el *estado* de la naturaleza, que revelan a quien sabe entenderlo: si se va a abrir la veda, si se salvará una cosecha, si hay algo extraño en el ambiente... Este tipo de observación me parece más interesante por lo personal; la literatura no carece de descripciones poéticas, pero escasean las observaciones basadas en minucioso conocimiento de la naturaleza. Que aquí abunden, muestra la compenetración entre narrador y personajes. El pone el lenguaje, pero la mirada es de ellos: «El riachuelo, en estiaje prematuro, discurría penosamente entre los carrizos y las espadañas y, a los lados, bajo un sol pugnaz, blanqueaban los barbechos sedientos, en contraste con la engañosa plenitud de los cereales apuntados» (p. 88).

Es fácil entender por qué Delibes considera *Las ratas* su mejor novela. El perfil lingüístico, la invención de personajes libres de convencionalismos, el uso innovador del Santoral, el léxico: todo revela una escritura intensa, una obra personal y original, la primera de una serie cuyo sello es la construcción de un lenguaje para cada tema; en *Las ratas* se compone principalmente de los elementos estudiados. En la novela que viene luego, se pasará al extremo opuesto: a la apariencia de una pobreza lingüística y estilística, al hablar irreprimible (palabras vanas llenan el silencio de la noche) y al vacío de la muerte.

# CAPITULO II

## ECOS DE LAS SENTENCIAS DE AYER:
### *CINCO HORAS CON MARIO*

Reconocida como una desviación del estilo realista, *Cinco horas con Mario* (1966) no es, después de todo, muy diferente de *Las ratas* en cuanto a los principios de construcción en que se funda. Las apariencias, como ocurre con frecuencia, engañan. Según vimos en el capítulo anterior, Delibes ya había logrado utilizar un lenguaje especialmente compenetrado con el medio y unos personajes poco accesibles a la comunicación verbal. En esta obra el lenguaje está especialmente compenetrado con el medio. El traslado del medio rural, pobre y semianalfabeto a un medio urbano de clase media es llamativo, desde luego, pero lo es más el hecho de que la situación exija recurrir a un instrumento diferente. Establecida la distinción previa entre narrador y personajes —se enmarca, se realza y se estiliza lo suyo, y no lo propio—, se trata ahora de inventar y elaborar un modo de hablar distinto, y en torno a él girará la obra. Ese lenguaje es nuevo, pero no el arte de emplearlo; nueva, la materia verbal, no el estilo.

En *Las ratas* señalé los elementos tradicionales y experimentales que allí advertía; será conveniente seguir el mismo método para situar *Cinco horas con Mario*. Esta novela guarda alguna semejanza con las formas peculiares del primer Delibes: cuenta la historia un narrador discernible (aunque retirado a segundo plano, no en posición predominante); la obra se divide en capítulos, o en algo que se parece a ellos (este punto será examinado luego); hay un comienzo, un desarrollo y un final inequívocos; se intercalan pequeñas anécdotas e historias en un tiempo narrativo lineal (aunque con diferente propósito, ahora); nunca se pierde la sensación de ir adelantando hacia un desenlace, y el lenguaje en las descripciones del comienzo y del final es una prosa literaria. La novedad consiste en que la acción de la novela es casi exclusivamente interior, mientras en *Las ratas* y en las novelas anteriores de Delibes fue más externa. Salvo la escena del velatorio y el recogimiento final, todo es habla, y *el modo de hablar* de Carmen determina la forma de la novela. Mientras ella trate de confesar su pecado, hay novela; en cuanto su confesión termina, la novela acaba, falta de energía narrativa. A Carmen se le debe también la distribución del texto en capítulos; cada uno de éstos comienza cuando la mujer lee en voz alta un pasaje de la Biblia subrayado por Mario, así que a diferencia de lo ocurrido en *Las ratas*, es el personaje y no el narrador quien inicia y termina las diversas unidades de la obra.

Hay una coincidencia curiosa entre esta fórmula y la seguida en la novela anterior: en ambas se sobrepone a la narración un marco —la Biblia o el Santoral— al cual se refiere sistemáticamente. En *Cinco horas con Mario* las referencias proceden siempre de Carmen y su manera de usarlas la retrata. De esta manera el autor crea la impresión de que el protagonista estructura la novela: hojeando la Biblia en busca de frases que puedan hacerle comprender cómo era su marido difunto, se fija en los pasajes subrayados por él. El autor ideó el marco, pero al dejar que el personaje vaya y venga por él a sus anchas, la forma de la ficción parece más libre.

Que sirva de nuevo para la fórmula narrativa una materia religiosa y en obra tan distinta ambientalmente es curioso, y prueba la habilidad del autor para hacer ver, a través del lenguaje, la presencia y función de la religión en la vida española. El Santoral, rico en asociaciones e íntimamente relacionado con el calendario, apenas figura en *Cinco horas con Mario*, en donde se percibe de otra manera el tiempo divinal y el tiempo a secas. Al evocar su vida con Mario, Carmen apenas se sirve del Santoral para recordar y relacionar los incidentes del matrimonio (aunque sí recomienda una revisión del Santoral, p. 89). Choca esto, porque las referencias religiosas abundan en su habla. Al oírla, parece católica hasta el tuétano, pues el nombre de Dios no se le cae de los labios, o para expresar su inseguridad («Si Dios me da medios», p. 77), o para mostrar su creencia en el poder divino («Si Dios no lo remedia», p. 87), o para registrar su convicción de que algún día será juzgada por El («Dios me perdone, pero…», p. 43). Muchas veces transmite la imagen del Dios católico e institucional, nombrándole casi mecánicamente en frases hechas: «Como Dios manda» (p. 42), «Gracias a Dios» (p. 61) o «sabe Dios dónde…» (p. 63). Hay gran cantidad de ejemplos, pero no voy a indicarlos uno por uno; mi propósito no es estudiar la imagen de Dios en el lenguaje del personaje, sino describir en general cómo aparecen en su habla las referencias religiosas para contrastar su funcionalidad con la de las referencias del mismo carácter en *Las ratas*.

Más de la mitad de las alusiones a Dios (y a otras figuras religiosas), lejos de evocar el referente, sirven para reforzar determinadas expresiones de Carmen. Este es el punto que quisiera destacar: el personaje utiliza la religión para remachar sus propias emociones: «¡Qué sofocón, cielo santo!» (p. 53); «¡Qué vergüenza, Santo Dios!» (página 52), etc. Dios se reduce a una parte gramatical de una voz que registra el nombre divino casi continuamente, a menudo para constatar la propia inocencia. Y la ironía está en que no refleja las enseñanzas de Cristo, sino una perversión de ellas. El ejemplo más contundente es una frase de la madre de Carmen que ésta atesora y recuerda vivamente: «'Las santas feas no tienen ningún mérito, y, por tanto, no son tales santas'» (p. 149). Modismos, a veces ligeramente graciosos, salpican el habla de Carmen, como pudieran salpicar el de cualquier hablante español de la misma educación: «una y no más, Santo Tomás» (p« 46); «ni por Eliseo ni por San Eliseo» (p. 61) o «ya sé que Antonio no es santo de tu devoción» (p. 62).

En el habla, no en el hablante, se trasluce la religión. Los besos «de consuelo» por la muerte de Mario se dan al aire —«breves estallidos»—, no en la mejilla. Las cosas no están en su sitio, y su vacío se colma con un simulacro. De hecho, la insustancialidad impregna el espacio novelesco tan por completo que resalta la sustancialidad espiritual de Mario, incluso sin darla más expresión que la refractada en Carmen, en sus opiniones sobre las citas de los pasajes de la Biblia subrayados por él.

En *Las ratas*, Delibes supo hacer expresivo el silencio de un personaje, el Nini. A diferencia de lo realizado en la novela siguiente, no se enfrentaba un habla insustancial (la de Carmen) con otra, sustanciosa por implicación (la de Mario), sino que actos inseguros (los del pueblo vacilaban sobre lo que debían hacer, antes de consultar al Nini) se oponían a la seguridad del muchacho, siempre actuante en el sistema de conocimientos elaborado por el novelista. Y ya que de silencios se trata, o mejor dicho, de la presentación de un personaje cuya personalidad no está captada en su habla, sería útil plantearse esta pregunta (de cuya extemporaneidad en un texto crítico me doy cuenta): ¿podría existir un «diálogo» entre los personajes, Nini y Mario, como tipos que se bastan a sí mismos, y los otros? El autor, quizá por sentirse temperamentalmente compenetrado con ellos, muestra su comprensión de esos tipos, o «héroes» si se me permite llamar así a quienes apenas se sirven de la palabra hablada, y consigue presentarlos con autenticidad. Ahora quisiera examinar el diálogo entre un personaje que no puede hablar, Mario, y otro que no deja de hacerlo, Carmen.

## Hablar frente a callar

El acto de callar indica casi siempre la presencia latente de un lenguaje que, al no convertirse en habla, retenido e inexpresado por alguna razón, cobra para el usuario un valor y una intensidad distintos de los que tiene el lenguaje sencillamente no hablado, ni encaminado a ser oído. El ámbito de lo callado no es, ciertamente, el ámbito donde la infinidad de cosas que pensamos existen de manera incidental o accidental, la conciencia de que fluye el chorro día tras día, incluso en el sueño, cuando falta todo control racional. Coexistirán estos ámbitos acaso, y si extraer uno de otro puede no ser posible, sí lo será, en cambio, estudiar algunas características de uno de ellos, el de lo callado.

Hay en *Cinco horas con Mario* una situación muy curiosa: dialogan, si cabe decirlo así, una persona viva y un muerto; Carmen, viuda confesional, y su esposo recién fallecido, Mario, casi tan callado en vida como definitivamente lo está en la muerte. Nunca fue hablador ni persona dada a la conversación; sí lector, escritor, hombre meditabundo. Por esta razón, la lectura de Carmen de ciertos pasajes bíblicos subrayados por él evoca la figura ausente. La palabra impresa fue para Mario más familiar que la hablada. En los subrayados de la Biblia, su huella queda mejor grabada que en las citas de lo que dijo alguna vez, pues Carmen subvierte a menudo el sentido de ese decir; lo interpreta, y sus interpretaciones son tendenciosas, celosas, incultas, revelando falta de compenetración espiritual, y desde luego intelectual, con el marido. Desde un texto (la novela) el lector va al otro (la Biblia) y vuelve; en el vaivén, regulado sistemáticamente, va conociendo al personaje que la narración presenta de cuerpo presente. Sin las citas bíblicas, se hubiera perdido la dimensión de su personalidad que él consideraba auténtica, imagen con la cual el lector puede estar conforme o no, según reaccione ante Carmen y ante la versión que ella da de su marido, harto distinta de la que éste tenía de sí.

La palabra escrita y la palabra hablada conducen, en la novela, a un lenguaje total, al estilo, controlado por el autor como cosa propia. ¿Quién, sino él, maneja el curioso diálogo y lo inserta en el contexto de la obra? Veamos, pues, el marco puesto al largo intercambio entre los protagonistas. Marco es, literalmente, la primera página del relato, pues a ésta le precede una esquela que sobre producir un choque por su aire fúnebre, sirve para dar una lista de todos los personajes y para destacar la ausencia del nombre de aquel cuyo recuerdo precipitará la confesión de Carmen. La curiosidad del lector le induce a preguntarse por las gentes mencionadas en la esquela y por su relación con ese «D. Mario Diez Collado» (casi *Callado*) cuya defunción se anuncia. Irónicamente, en esta primera mención, le corresponde la posición central y el tipo de letra mayor.

Al comienzo de la narración, quien destacará es Carmen, y lo hará por un acto, un gesto, una sensación, una reacción fisiológica, sumados a un cúmulo de impresiones y un primer brote del modo de hablar que desde entonces predomina en el texto:

Después de cerrar la puerta, tras la última visita, Carmen recuesta levemente la nuca en la pared hasta notar el contacto frío de su superficie y parpadea varias veces como deslumbrada. Siente la mano derecha dolorida y los labios tumefactos de tanto besar. Y como no encuentra mejor cosa que decir, repite lo mismo que lleva diciendo desde la mañana: «Aún me parece mentira, Valen, fíjate; me es imposible hacerme a la idea.»

(p. 9)

La vamos conociendo durante el velatorio —desorientada, agotada, acompañada por su amiga Valentina. El ambiente es «burdamente convencional» (p. 11), cargado de las frases hechas y los gestos correctos propios del rito social que la ocasión requiere. Por dentro, todo es angustiado y caótico. En la descripción del comportamiento se encuentran referencias a las confidencias que Carmen hizo a Valen, y en estas intercalaciones emerge la crónica de la muerte de Mario, «suave», como diría Simone de Beauvoir, llegada con paso tan quedo que no alteró el semblante del hombre atacado en el corazón mientras dormía. La repercusión del hecho en la familia, y después tumultuosamente los recuerdos de conversaciones e incidentes, se agolpan en la corriente rememorante con otros datos: la bondad de Mario, la preocupación de la madre al ver que los hijos no lloran, ya que no sabe si achacarlo a frialdad, entumecimiento o estoicismo heredado del padre. Emociones revueltas y rigidez de superficie se combinan en la sala, donde los consuelos suenan a muletilla, y una frase relampaguea insistente, hasta convertirse para el lector en motivo: «El corazón es muy traicionero, ya se sabe.» Se experimenta la incómoda sensación de que los vivos están medio muertos, perdido su aspecto normal:

Los bultos traían unos ojos desorbitados, enloquecidos, pero cuando algún otro bulto, sentado, suspiraba ruidosamente y murmuraba: «El corazón es muy traicionero, ya se sabe», los bultos recién llegados y sus ojos se serenaban y se uniformaban con los bultos y los ojos que rodeaban el cadáver.

(p. 28)

Y el muerto, en cambio, no lo parece: «Mario es el muerto más saludable que fabricaron manos humanas», observa uno de los «bultos». Poco después llegamos a otro Mario: al que servirá de base para la construcción imaginativa del lector. Sorprendida Valen al oír que Mario leía la Biblia, Carmen le explica lo que esto significa. «Manías. Mario leía sobre leído, sólo lo señalado, ¿comprendes? Yo ahora —se la ablandan los ojos pero, paradójicamente, su voz se va afirmando— cogeré el libro y será como volver a estar con él. Son sus últimas horas, ¿te das cuenta?» (p. 35).

Para la mujer, el marido *está* en los pasajes subrayados, tantas veces leídos, y a través de ellos intentará acercarse a la intimidad que desconocía, al recinto en que jamás penetró mientras él vivía, y que ahora espera ocupar. Queda a solas para el diálogo en (¿o con?) la oscuridad, ligada al difunto esposo por «la lámpara de pie que inunda de luz el libro que ella acaba de abrir sobre su regazo y cuyo radio alcanza hasta los pies del cadáver» (p. 37). El cuerpo casi eclipsado, pero tocado por la luz que ilumina las palabras escogidas como código moral.

Los veintisiete capítulos siguientes arrancan, uno a uno, de veintisiete pasajes bíblicos subrayados por Mario. Precede a cada capítulo una cita en letra bastardilla, en ocasiones incompleta; no se llega al final de la frase, ¿por interrupción de Carmen? Quizá no siempre (Mario podía haber subrayado sólo una parte de la frase), pero a juzgar por la presteza con que la mujer reacciona a lo que lee, parece probable que la reducción se deba a su impaciencia; los textos bíblicos estimulan en ella asociaciones caprichosas, rabia reprimida durante años, reproches por creer que Mario no se portó conforme a lo indicado en el fragmento bíblico, un caso real que el pasaje le recuerda...

La relación entre las citas y los capítulos tal vez sea el factor más importante para la caracterización de los personajes: Mario es reflejado en un lenguaje sobrio, moralizante y a veces poético, mientras que Carmen lo será en un lenguaje caótico, obsesivo y prosaico.

Aunque el de Mario no sea rigurosamente «suyo» (no es autor de las frases bíblicas, las que mejor le caracterizan), en el fondo le pertenece, pues al hacer del libro guía de su vida, de algún modo se lo apropió; si hay armonía entre conducta e ideales, no es preciso que la equivalencia entre lo dicho en la Biblia y lo hecho por la persona que sigue sus enseñanzas sea literal. Todos los creyentes concuerdan con el sentido de las palabras sagradas, fuente de un lenguaje común. Mario vive ese lenguaje (un «mundo de pensamientos», como diría el lingüista Whorf), cuya unidad significativa con el de otros espíritus religiosos trasciende la unidad literal, la que se estudiaría si se tratara de describir los rasgos peculiares de una comunidad lingüística.

Toda una zona empírica, normalmente útil para describir el lenguaje del personaje, resulta innecesaria cuando se trata de presentar una personalidad. Delibes transmite escasa información del acento, el léxico, los modismos o la pronunciación; la entonación le interesa más, como lo demuestran los ejemplos del habla de Mario.

Un registro minucioso del habla trazaría el perfil de una fisionomía geográfica, social, económica e histórica, pero no accedería, en cambio, a la zona más íntima y entrañable del hablante, no indicaría el ajuste mental entre los lenguajes pertinentes, en este caso, el escrito sobre el que se construye una moralidad, y el hablado, de una circunstancia histórico-geográfica del castellano. Se dan casos de gente que se resiste inconscientemente a la asimilación del habla que lógicamente les correspondería, porque no se adaptan ni intelectual ni emotivamente a los valores y a la visión del mundo de las personas que emplean ese habla. Mario es un ejemplo de esta situación. Rechaza, o apenas comparte, las creencias rectoras de la vida de su mujer; tampoco habla como ella. El punto merece reflexión, puesto que el texto es el espacio donde ocurre el único diálogo posible entre los dos hablantes, la una activa y el otro silencioso. ¿En qué se basará la comunicación entre dos personas que, respirando el mismo ambiente, en la misma familia y hogar, se hallan enajenados lingüísticamente? Si el verbo no puede ser puente por proceder de dos sistemas de valores radicalmente opuestos, ¿cómo dialogarán? No se hablarán, ni se escucharán. Cada cual se refugiará en el lenguaje —en personas o textos— que sienta más cercano a su exigencia de expresión, hasta sentirse prolongado, acogido, «contestado» por ese medio. El medio lingüístico de Mario es el lenguaje culto y cristiano, libre de institucionalización de cualquier clase; el de Carmen es el lenguaje social, convencionalizado por las instituciones aceptadas por ella: familia, matrimonio, pequeña burguesía, religión externa, periodismo... Ecos de estas voces se oyen continuamente en la suya, verdadera caja de resonancias.

El novelista que coloca a los protagonistas en dominios lingüísticos complementarios (aunque a menudo hostiles) pudiera permitirles las habituales libertades de movimiento y lenguaje, pero no lo hace. Mario, obviamente inmóvil y callado; Carmen, monologante, da origen al movimiento verbal de la situación, aun cuando ella también esté de otro modo inmovilizada; el diálogo se comprime en un mínimo espacio de tiempo. Al no admitir más movimiento, el novelista acepta el riesgo de dejar mal dibujados a quienes no permite aparecer menos inertes ante el lector. Para sortear este escollo, Delibes recurre a la creación indirecta: Mario sale cabal por la maestría con que su figura va tomando consistencia en el lenguaje de Carmen, generador de una imagen de Mario que contrasta con la imagen ideal a que él aspiraba. A lo largo de la narración se establece una relación dinámica que da por resultado otra imagen, la derivada de la reacción del lector hacia los cónyuges. Creo que la consistencia de Mario como personaje literario se debe también al anhelo del autor de retratar variantes de un mismo tipo. Hablando de sus personajes, ha dicho: «Mis personajes no son, pues, asociables, insociables, ni insolidarios, sino solitarios a su pesar» *(S. O. S.,* en «El sentido del progreso en mi obra»).

La voz de Carmen no revela una conciencia individual, sino una serie de principios e ideas ajenas, frases hechas y lugares comunes. Hay una escisión entre los principios profesados y la conducta del personaje. Seguramente sin proponérselo, Carmen se va mostrando distinta de como se imagina. Doble ironía: mucho del lenguaje asociado con Mario no es literalmente suyo, pero revela que su habla no procede de su intimidad, sino de su exterioridad. Carmen es más receptiva al lenguaje hablado que al escrito; en lo dicho por los demás (papá y mamá sobre todo) encuentra fórmulas verbales que convierte en verdades sobre las que asienta su vida.

Se supone que las «cinco horas» van a ser un intento de hablar-le a Mario, pero lo cierto es que se-habla Carmen, o a lo sumo, repite lo que dijo Fulano o Mengana, insertando en su monólogo otros diálogos. Como técnica autorial, es adecuada, porque ensancha la narración, admitiendo otras voces y sus correspondientes perspectivas; y además de ayudar a crear un mundo novelesco, sirve primordialmente para registrar la personalidad de Carmen, sugiriendo cómo su relación con el lenguaje duplica sus relaciones con las personas. Si la técnica sólo tuviera una finalidad estructural, la intercalación de aquellas voces se habría destacado vívidamente, diferenciándose por su textura y ritmo propios. De hecho, están dominadas por los intereses de Carmen, que salpica su habla con la de otros por falta de sustancia personal, y en la mayoría de los casos emplea las palabras ajenas para confirmarse a sí misma. Vuelca todas las palabras que puede, segura de que esta vez Mario no se le escapará; la tiene que oír, como dice el dicho. Aparte del aspecto compulsivo —y esto lleva a considerar ahora la tensión dramática del relato— necesita echar fuera de sí todo el cuento: la confesión, acompañada de una justificación, para entrar en la viudez sin culpa ni remordimiento, ya informado el marido del desliz. La confesión pugna por salir, como sus senos del jersey (otro motivo en la novela), pero no acaba de producirse.

El subtema erótico —la frustración de Carmen y sus deseos finalmente satisfechos— asoma, desaparece, se insinúa, etc., hasta irrumpir en la penosa y tardía confesión de culpa y la arrodillada petición de perdón con que termina abruptamente la novela, aunque la narración se prolongue un poco más. Su habla, pues, está encaminada a un alivio ansiado; cuando lo consigue, pierde de repente su energía expresiva. Con la confesión de culpa llegamos a la ironía final: «el callado», Mario, no había callado nada a su celosa mujer, mientras que ésta, gárrula y todo, ocultaba en su insustancialidad palabras de revelación que, una vez dichas, la silencian. La silencian y la agotan, como se deduce de la severa descripción a la página siguiente, ya en el epílogo: «En una noche, las mejillas de Carmen se han desplomado y a los lados de la barbilla y por debajo de ella se le forman unos papos blandos, gelatinosos, como bolsas donde se acumulase alguna secreción» (páginas 284-85). Cuando deja de hablar, queda aplanada, vacía. No le queda energía porque la vitalidad de su persona depende del acto de hablar. El lenguaje del epílogo, como el del capítulo inicial, pertenece al narrador, y por tanto registra un tono diferente: «Carmen se sobresalta al oír el gemido de la puerta. Gira la cabeza, se sienta sobre los pies y hace como que buscara algo por el suelo. Sus ojos y sus manos, expresan un nerviosismo límite» (p. 284).

Evidentemente, el autor no tiene simpatía por esta figura deshecha, y, de modo clásico, se limita a mostrárnosla. Tampoco despierta simpatía en el hijo, que parece más bien tolerarla que quererla. Un intercambio entre ellos cierra el tema de la incomunicación entre la simplificación y la complejidad. Lo dicho por el joven indica que será el sucesor espiritual de su padre. Con una metáfora prolongada el narrador da a entender cuál será la relación futura entre madre e hijo:

Carmen le mira asustada. Sus ojos son planos. Toda su cara es plana ahora. Le explora. Mario comprende que es inútil, que es como pretender que la pared de un frontón succione la pelota y ésta quede adherida a su lisa superficie. El rostro de Carmen es plano como un frontón. Y como un frontón devuelve la pelota en rebotes cada vez más fuertes. A pesar de todo, Carmen no se enfurece.

(p. 291)

La voz del padre no se ha oído directamente en la narración; ahora, cuando habla el hijo, se oye a aquél. La voz de Carmen estuvo sonando sin parar; la voz de Mario, sin haber sonado, resuena. En el río de la charla de ella, pasa el Madrid de la clase media, la herencia común y el vacío presentes; las «pocas palabras verdaderas» (para usar la frase machadiana) apuntan principios antiguos, pero apenas vigentes en la sociedad presente. En la desemejanza dramática entre marido y mujer, Delibes plantea dos modos de ser, y lo hace precisamente por medio del lenguaje, ayudando al lector a descubrir en el decir y en el callar la razón vital de las actitudes. Poéticamente se ha constatado la teoría del personaje de E. M. Forster, y curiosamente, la metáfora de lo plano y lo redondo se aplica al carácter a la vez que al lenguaje (el frontón y la pelota).

## Mimesis estilística

Hasta ahora me he limitado a relacionar el uso artístico del lenguaje en *Cinco horas con Mario* y en *Las ratas*, y a ver la interacción de dos lenguajes contrarios para comprender su función estructural. Apenas he tocado la invención más llamativa del libro, posiblemente la razón principal de su éxito: la creación de un habla que por su sostenida energía mimética parece recreación del lenguaje real de un tiempo y un grupo social y de un personaje-persona muy representativo. Después de la riqueza léxica de *Las ratas*, la limitación verbal de *Cinco horas* demuestra la agilidad de un autor capaz de contener su cultura, disfrazando su dominio del verbo cuando artísticamente le conviene, así como fue capaz de desplegar sus conocimientos cuando le convino. Ajustándose al habla de su criatura, incurre en un prosaísmo casi insoportable, aunque necesario para el logro artístico de la obra. Controla ese prosaísmo, sin embargo, con las mismas técnicas que le sirvieron en *Las ratas:* la insistencia y la sistematización de ciertos elementos lingüísticos que pudieran dar lugar a consecuencias literarias negativas. Por hacer un estilo de la monotonía, la discordancia, la imperatividad y la repetición en vez de apuntarlos ocasionalmente como característicos del personaje, subraya algo esencial de éste, permitiéndole entrar libremente en el texto.

El lenguaje narrativo del marco y la descripción de la muerte de Mario corresponden al estilo autorial, caracterizado por la habitual soltura y sencillez del escritor y contrasta con el lenguaje conversacional que enmarca el monólogo interior del personaje. El contraste realza la textura de uno y otro. La estructura enmarcada dramatiza las diferencias estilísticas mejor que si se hubiera empleado el estilo indirecto libre, procedimiento común en las novelas tempranas, y acentuado en *La hoja roja*.

En tres niveles, el estilístico, el sintáctico y el semántico, el autor presenta de manera coherente los rasgos distintivos del divagar obsesivo del personaje, de forma que en cada uno funcione en el mismo sentido: revelador del hablante. No se cansa el autor (quizá le costó trabajo disimularlo, si se cansó) de reproducir el habla de su criatura, y esta tensión creativa se mantiene con un rigor que no solía darse en la novela de sus predecesores «realistas». En *Cinco horas con Mario*, el habla parecerá pintoresca en ocasiones, pero jamás por comparación con el estilo del narrador-autor, sino por la simple razón de ser lo que parece.

En lo estilístico, las notas más visibles son garrulidad, imperatividad, repetitividad, caos expositivo, uso frecuente de frases hechas. En lo sintáctico, es clara la preferencia por comenzar la frase con un giro negativo, el uso frecuentísimo del «que», la tendencia a la encapsulación de citas en la frase principal (cuyo sujeto, a menudo, es «yo»), la extensión de las oraciones en frases de demorada continuidad (con exceso de comas, puestas donde sería preferible manejar otros signos diacríticos para indicar las pausas), la conversión de varias frases hechas en cláusulas de una misma frase, la alusión frecuente al supuesto oyente. En lo semántico, destacan el apocamiento, la jerga madrileña, las alusiones religiosas y la profusión de modismos, entre otras cosas. Todo ello produce la sensación de un grabado a lo vivo, pero en realidad el chorro inimitable inventado por Delibes tiene poco que ver con el aburrimiento que una reproducción mecánica habría causado, seguramente, en el lector.

## EMPLEO DEL «QUE»

El empleo del «que» es, a mi ver, rasgo muy apropiado para el análisis de la conversión de un decir limitado y monótono en un estilo interesante. (Va sin decir que la función estructural de ese lenguaje contribuye a que de él pueda hacerse un «estilo».) Abundante y variado, el uso del «que» puede ser visto en los tres niveles, estilístico, sintáctico y semántico, y por eso proporciona una continuidad deseable para comprender cómo la utilización de un determinado elemento contribuye al efecto global. Ya que las oraciones de relativo son consideradas en general como enemigas de la buena prosa, será curioso examinar cómo una proliferación intencional del «que» es estilísticamente beneficiosa. El habla de Carmen es, después de todo, una construcción autorial, una «desviación», para usar el término de Todorov, de la norma (por exagerarla) de un lenguaje menos personalista en que caben los rasgos comunes de un grupo de hablantes, los madrileños de la pequeña burguesía.

Encontrar más de veinte «ques» en una página es corriente en *Cinco horas con Mario;* en muchos casos podrían haber sido eliminados o sustituidos, dando a la expresión otro giro. Aparentemente, Delibes no quiso reducir, sino más bien extender, el uso del «que»: la machaconería desempeña una función caracterizadora.

Según el *Diccionario de la Lengua Española de la Real Academia,* la voz «que» tiene veinticinco funciones gramaticales nada menos. Carmen muestra clara preferencia por la función decimotercera, explicada por la Academia de la siguiente manera: «Se usa igualmente como conjunción causal y equivale a *porque* o *pues*.» Figura también como pronombre relativo y como conjunción copulativa, pero Carmen lo usa sobre todo sinónimamente, cuando en realidad no haría falta. La insistencia en esta función (de las enumeradas por la Academia) llama la atención sobre el «que»; falta la presencia de otras funciones, lo cual hubiera hecho casi inadvertible el «que», por necesario semántica y sintácticamente. Al recalcar cómo gravita el personaje constantemente sobre esta palabrita de significación vaga y múltiple —y por tanto más insustancial y limitada que otras—, el autor centra el habla del personaje alrededor de la nada. Si el lenguaje de Mario no fuese tan contrastado en su solidez, quizá se interpretaría de otro modo la presencia obsesiva de este «que»; cada contexto exige su propia comprensión. Examinemos una página típica para cerciorarnos de esta idea y para observar en vivo otras peculiaridades del «que» en el habla de Carmen:

/que todas calladas como si se hubiera muerto alguien. Luego tú, qué gracia, te creías, que lo de la corbata era por mamá que en paz descanse, que va, Mario, por el rey, que a mí me emocionan los hombres fieles a una idea limpia, porque la Monarquía es bonita, Mario, por más que digas, que no es que yo sea tan apasionada como papá, pero date cuenta, un rey en un palacio y una reina guapa y unos príncipes rubios y las carrozas, y la etiqueta y el protocolo y todo eso. Tú decías que monarquía y república, por sí mismas, no significaban gran cosa, que lo importante es lo que hubiera debajo, que a saber qué quieres decir, pero lo que desde luego te anticipo, es que no se pueden comparar. Una Monarquía es otra cosa, la República, qué sé yo, es como más ordinaria, no lo niegues, que yo recuerdo cuando se implantó, desarrapados y borrachos por todas partes, un asquito, hijo, que yo cada día comprendo más a papá, te lo aseguro, Mario, su ceguera por el rey. Lo que me parece absurdo es que regañara con el tío Eduardo, tan monárquico también, pero bueno, regañar como dos furias, no te creas, que una vez le dio una lipotimia a papá y todo y tuvimos que llamar al médico a toda prisa, que cuando volvió en sí, a voces, «¡por supuesto si viene el rey de Eduardo no me quitaré la corbata!», que no son modales me parece a mí, ya ves tú, dos reyes, como si también los reyes pudieran ser mellizos o trillizos, que no me lo explico. Y la otra tarde,

Higinio Oyarzun, en la fiesta de Valentina, me descubrió un mundo, te lo aseguro, que no había acabado de contárselo y ya estaba con/

(p. 94)

A fin de evitar la enumeración de las veinticinco funciones reconocidas por el *Diccionario de la Lengua Española,* me he limitado a identificar cada caso con su número correspondiente. La función 13, la más frecuente en esta página (y en la mayoría de ellas), representa dos cosas: la voluntad de estilo del autor, que evita los sinónimos para señalar la pobreza del lenguaje del personaje, y el uso de la repetición para apocar lo citado de otras personas. Las dos cosas van unidas, creo, pues al ceder Carmen la narración, el autor se enfrentó con el posible peligro de entrecortar el ritmo (al «ayudarla») o de hacer demasiado mecánica su presencia (al encargarle la tarea considerable de levantar el resto del mundo novelesco).

Siempre que Carmen transmita las palabras de otro (o incluso las suyas, cuando se refiera a algo dicho con anterioridad al presente narrativo) sería lógico esperar que lo hiciera según una de las fórmulas más usuales, como «X dijo que...»; o suprimiendo la copulativa, «X dijo:...»; o con una variante más breve: «X...». Que el autor suprima a menudo el «que» introductorio y prefiera las fórmulas excluyentes de esta palabra es comprensible, pues de no ser así el andamiaje de la narración estorbaría, impediría «oír» al personaje; el oído del lector estaría más consciente del «que» introductorio a lo dicho por aquel a quien se cita que del «que» típico del hablante. El autor y el personaje comparten el espacio lingüístico del texto, y la habitual supresión del «que» introductorio permite fluir mejor a la narración. Los personajes secundarios son cauces verbales confluyentes en el monólogo de Carmen: hay un ejemplo en la recién citada página 94, o, más brevemente: «pero a Transi, hijo, le dio sentimental, '¡ay, no, guapina, un hermano es un hermano', que eso según desde donde lo mires» (p. 98). La conjunción viene después de la cita, y sirve para incluir un comentario. Se puede observar la continuada tendencia a simplificar, prolongar y subrayar la expresión. De hecho, el monólogo central no se compone de frases, sino de una sola extensa aserción del hablante, según en seguida veremos;

por esta razón el «que» aparece a menudo (normalmente con acento prosódico y ortográfico, a veces sin éste) para ponderar o encarecer algo. Haría falta manejar una computadora para decir exactamente cuántos son los «que» explicables de esta forma; la lectura deja una impresión lo bastante firme como para poder asegurar que los casos son numerosos. Recuérdese los hallados en la página 94; en seguida (p. 96) se encuentra «¡qué disgusto, Dios mío!»; antes (p. 92), «¡qué juerga!», «¡qué hombre tan tacaño!» y «¡qué va!». De ahí el tono exclamativo propio de Carmen.

Otras funciones merecen ser destacadas: el «que» precediendo a una oración no enlazada con otras (# 17) o una oración incidental, de sentido independiente (# 18), o integrado en el comienzo de una frase negativa: «no es que...» (# 8). En cuanto a las muestras de las funciones 17 y 18, sirven la voluntad de volcar en el discurso cuanto pasa por la mente del personaje, dando por resultado un caos expositivo. El de la función 8, cuando es negativo, muestra una tendencia que, irónicamente, se trasluce en lo dicho; ella *no* le fue fiel a Mario, pero hasta la confesión no hace sino declarar que lo fue. (Esto recuerda otra ironía, la implícita en la frase-motivo, «El corazón es muy traicionero, ya se sabe», pues se lee literalmente, el corazón del fallecido «le traicionó», cuando en realidad se quiere decir algo muy distinto: el corazón, en cuanto emblema del sentimiento amoroso no siempre permanece leal, como no lo fue el de Carmen para Mario.)

Los usos normales del «que» no precisan comentario; forman parte del idioma hablado por todos: Carmen, como los demás, emplea la conjunción en cierto número de ocasiones (aproximadamente en la tercera parte de los casos en la página citada) sencillamente porque resulta un medio fácil y cómodo de expresarse. Este tipo de uso común no supone la creación de un estilo personal. Si alguno de esos usos se hubiera realizado sistemáticamente, o si se hubiera insistido de alguna manera en él, como en los otros casos estudiados, entonces sí adquiriría su empleo interés estilístico. La prosa de Delibes nos llama la atención sobre las funciones del «que» numeradas 1, 7, 8, 9, 10, 15, 20 y 22. Estas contrastan por su normalismo con las funciones dramatizantes o reforzadoras de la expresión: las 3, 4, 5, 6, 23 y 25, que ilustran sobre el temperamento del hablante, mientras las sinonímicas plagan el texto (12, 13, 14, 16 y 21), y las 17, 18 y 19 sirven para comenzar una oración. Ironía suprema: el personaje que no logra articular *lo que* se propone, siempre está diciendo *que*...

## ARTICULACIÓN Y SENTENCIA

Hasta ahora opuse a Carmen y Mario en cuanto a la palabra: aquélla habla, éste calla. Esto no es suficiente para describir los contrastes entre ellos. Si se recuerda que al marido se le oye hablar a través del monólogo de su mujer, podrá observarse que representan dos tipos de articulación verbal: la mera aserción o emisión (*utterance* en inglés) y la sentencia (como máxima y *sentence* en inglés). Quisiera tratar por separado estas categorías después de esquematizar la cuestión de la fisionomía lingüística de los personajes:

Carmen,  sonido— lenguaje hablado— aserción
Mario,  silencio– lenguaje escrito— sentencia

La aserción oral, o simple emisión de lenguaje, se distingue de la sentencia por ser acción, en vez de contenido. Puede tener un contenido, y hasta incluir sentencias, pero no consiste sólo en sentencias, pues por su misma naturaleza admite estructuras de otra clase. La acción, el acto de hablar, importa en la aserción más que lo dicho. En cambio, ese acto importa en la sentencia menos que lo afirmado. Carmen, al hablar, muestra que el lenguaje es para ella una manera de hacer visible su persona, mientras que para Mario el lenguaje hablado muchas veces no fue una relevación personal, y, de hecho, utilizó con frecuencia frases escritas que ni siquiera son suyas, un lenguaje ajeno. Y vale añadir que el autor ha captado imaginativamente la diferencia entre la vitalidad natural del habla y la sobriedad del silencio al dar repetidas veces la misma imagen de sus personajes: los pechos de Carmen pugnan por salir del jersey negro de viuda, mientras Mario está colocado en la caja fúnebre como su carácter estuvo contenido en los libros.

En esa distinción se basa la forma lingüística de la novela, pues tanto las citas bíblicas como las frases atribuidas a Mario pertenecen a un lenguaje cuya finalidad es enunciar creencias y principios a que se ha llegado reflexivamente, mientras que el habla de Carmen exterioriza un proceso mental inmediato. La sobriedad formal se asocia con Mario; la irreflexividad caótica, con Carmen, como las siguientes muestras sugieren: (Mario) «En esto hemos conocido la caridad, en que El dio su vida por nosotros y nosotros debemos dar nuestra vida por nuestros hermanos», es un fragmento bíblico subrayado (p. 82); y Carmen, «Como eso de que llegaste al matrimonio tan virgen como yo, mira, guapín, eso se lo cuentas a un guardia, una bola así, y venga» (p. 112). Escogí para el primer término de la comparación un fragmento bíblico, e igualmente podía haber puesto unas palabras de Mario mismo, pues su tono apenas difiere de aquéllas (ejemplo: «Aceptar eso es aceptar que la distribución de la riqueza es justa», dice Mario en la página 83). Cuando los hablantes comentan un mismo tema, el contraste es aún más evidente; al hablar de la virginidad de Mario, por ejemplo:

*Mario:* No me lo agradezcas, fue ante todo por timidez.»

(p. 112)

*Carmen:* ¡Qué timidez ni qué ocho cuartos!, como si no os conociéramos, los hombres, todos iguales, ya se sabe, que tú, dale, con que tus torpezas eran la mejor demostración, ¡música celestial!

(p. 112)

La novela está llena de contrastes tonales, y son ellos los que mejor revelan la diferencia esencial, temperamental y tipológica entre los cónyuges. El autor supo ilustrar con la aserción verbal un modo de ser, y con la sentencia, otro, sin necesidad de contar minuciosamente los incidentes de que en la novela se trata.

La última función que sirven la aserción y la sentencia resulta algo difícil de concretar, aunque no es menos importante: se trata de las actitudes de los personajes en cuanto a la creencia religiosa. Carmen, afanosa por entrar correctamente en la viudez, quiere confesarse al marido muerto. Aunque materialmente no haya receptor del mensaje, se empeña en colmar el último momento posible, las «cinco horas» del velatorio, con la preocupación que le agobia, de la carga de conciencia y del arrepentimiento, mezcla y producto de emociones calladas durante largo tiempo. Simbólicamente esta última confesión es un acto religioso, pues, como la extremaunción, borra la huella de la culpa. Claro que quien tal pretende ni es un moribundo ni se dirige a Dios, y en su confesión predomina la crítica sobre la súplica. Pero sí va encaminada a buscar comprensión y compasión por su conducta, y la angustia manifiesta al final de su petición hace parecer que es ella, y no él, quien está en las «últimas»; se confiesa entonces porque en esos momentos aconseja la Iglesia hacerlo, así como cuando se puso de luto por un familiar, lo hizo porque la sociedad lo dictaba. Amoldada a esta costumbre, aflora otra discrepancia con el marido, inclinado por temperamento a guardar en privado la tristeza que ella exhibe: «...pues para eso es el luto, adoquín, para recordarte que tienes que estar triste y si vas a cantar, callarte, y si vas a aplaudir, quedarte quieto y aguantarte las ganas. Para eso y para que te vean los demás, a ver qué te has creído [...]» (p. 95). La discrepancia en cuanto a las costumbres manifiesta el antagonismo.

La tentación de citar opiniones de Carmen para compararlas a las ideas de Mario es grande, ya que el contraste suele ser nítido y fuerte, subrayado estilístico de la irreconciliabilidad. Continuar apuntando divergencias nos conduciría a reforzar lo ya indicado: que la estructura novelesca se basa en la antítesis: un personaje arquetípico del chorro verbal, mientras que el otro es modelo de la contención, o sentencia; uno, eco de la voz institucional y social; otro, eco atemporal de lo esencial humano. Ambos saben muy bien cómo quieren ser, pero ni simpatizan ni pueden compartir el ser del otro. Incluso datos secundarios apuntan a la incompatibilidad, no sólo de gustos, sino de actitud frente a los signos exteriores de posición social. Carmen aspira por lo menos al «600», y tiene su momento débil en un flamante «Tiburón» rojo; a Mario no le interesan los automóviles, le basta con una bicicleta cualquiera. Los «vehículos» son motivos que expresan la personalidad, sobre todo en el caso de la mujer, para quien el auomóvil, cuanto más lujoso sea, mejor acredita el valor de quien lo posea. La «extraña de lúbricas palabras» (p. 230), la mujer contra quien previene la Biblia, no le atormenta a Mario, pero el «extraño» sí obsesiona y fascina a Carmen, que zumba continuamente en torno al tema, o para afirmar que su físico (el de ella) tienta a muchos, o para decir que jamás sintió tal tentación, pero... El proceso de su confesión consiste en convertir paulatinamente lo negativo en positivo, el no en sí.

Para concluir estos comentarios sobre la aserción característica del lenguaje de Carmen, me referiré brevemente a los modismos de que hace uso. Al considerar sus expresiones religiosas, vimos que los modismos son un ingrediente importante de su habla. Una lista de los modismos presentes en una sola página, la 231, permitirá observar cuán rico es su lenguaje coloquial:

— un seguro de fidelidad;
— la ley del embudo;
— os largáis de parranda;
— aquí paz y después, gloria;
— tampoco pondría una mano al fuego;
— esa no me la trago;
— una tiene ya muchas conchas;
— ¡qué timidez ni qué ocho cuartos!;
— si te he visto, no me acuerdo;
— un cero a la izquierda;
— bueno está Madrid, hijo;
— a cal y canto;
— en mejor plan no me pude poner;
— yo estaba dispuesta a tragarme el cáliz hasta las heces.

La densidad coloquial puede ser eficaz para mostrar la pertenencia a un círculo social, y en este caso es útil, pues, como hemos visto, Carmen carece de ideas propias y está hecha de lo que la sociedad —familia e Iglesia, sobre todo— le presta e inculca: un lenguaje. La total asimilación de los modos comunes de hablar la revela, así como el lenguaje de Mario muestra un espíritu crítico y un rechazo de muchos aspectos de esa sociedad que formó a su mujer. La adscripción al coloquialismo indica cierta pereza mental: si están disponibles una palabra, una cláusula, una frase, una forma de hablar, una serie de valores y tabúes, ¿para qué molestarse en pensar? Con acogerse a lo recibido, basta y sobra, y si la apropiación de los lugares comunes verbales (y mentales) molesta a Mario, deseoso de comprender antes de aceptar, a Carmen le parece natural. Cuando Valen organiza para Mario una comida a la que él no quiere ir, dice Carmen: «Ella lo hacía por distraerte, pero eso contigo no reza, '¿para qué?, ¿para qué?, ¿para qué?', ¡cuántos paraqués, adoquín!, pues para lo que se hacen esas cosas, pedazo de alcornoque, para matar el tiempo, a ver, para que se pase sin sentirlo, de eso se trata, vamos, creo yo» (p. 250).

El qué o para qué, es un vacío, y hay que llenarlo, a lo barroco. *Cinco horas con Mario* muestra cómo dos seres tratan de llenar el vacío del espacio mental, y a través de dos lenguajes pinta claramente las diferencias. La actitud de cada personaje respecto a la lengua indica su actitud hacia la vida.

## CAPITULO III

## EL LENGUAJE SINCOPADO
## O EL PRINCIPIO DEL FIN:

### PARABOLA DEL NAUFRAGO

En esta novela no se encuentran ni un espacio geográfico ni un tiempo preciso; no disponemos de un mapa del lugar de la acción, como en *Las ratas,* ni de una indicación temporal, como la esquela en *Cinco horas con Mario.* El lector entra en el texto como al final saldrá: desorientado, pues *Parábola del náufrago* no presenta un mundo localizable, sino un espacio fantástico en donde todo está sujeto a mutaciones insólitas y a metamorfosis que ya se advierten en la alteración de las convenciones narrativas. Debido a la llamativa transformación de lo «normal» en lo anormal (cosificación y animalización) y de lo convencional en lo innovador (maneras narrativas), urge explorar las relaciones entre los temas y el lenguaje experimental utilizado para tratarlos.

Los temas principales son tres: el miedo, la animalización y la renuncia al lenguaje como instrumento de comunicación. Estos temas se relacionan tan estrechamente que es difícil separarlos. El miedo de que se trata es el engendrado por el estado totalitario, que para dominar al individuo lo sujeta a servidumbre, obligándole a aceptar la disciplina impuesta por un dictador grotesco. Cosas primero, los humillados de ese universo concentracionario van siendo afectados por la posibilidad de una animalización progresiva que, si llega el caso, será total. Una investigación excelente de estos temas (entre otras cosas) se halla en el artículo de Ricardo Gullón, «El naufragio como metáfora», en el *Homenaje a la memoria de don Antonio*

*Rodríguez-Moñino, 1910-1970* (Madrid, Ed. Castalia, 1975). La renuncia al lenguaje (que es consecuencia de la renuncia a pensar, me parece) es el tema mejor presentado por Delibes. Con originalidad pasmosa, muestra cómo se produce esa lenta abdicación de lo humano, a la vez resultado de la situación opresiva de una sociedad degradante y profecía sobre el futuro. En un mundo deshumanizado, el lenguaje ha de cambiar, como ya presintieron lúcidamente José Ortega y Gasset y George Orwell. En *Parábola del náufrago* asistimos a la dramatización del cambio: se presentan las ulteriores consecuencias del proceso iniciado en la sociedad contemporánea, pero todavía poco visible como lo que es por la lentitud de su ritmo, mucho más veloz en la novela que en la realidad. Delibes aligera ese ritmo o, más bien, describe un momento muy avanzado del proceso.

En una primera lectura, esa aceleración me interesó. No acertaba a ver las razones profundas; sólo el destello artístico, la innovación narrativa que, desde luego, «defamiliarizaba», para usar el término de Skhlovsky, la historia. En lecturas sucesivas, la presentación del cambio en los modos de hablar impuestos por la dictadura y la tecnología me pareció coherente con la finalidad del escritor; la fantasía escondía la imagen inquietante del futuro: dejar al hombre desamparado, sin medios de comunicar con su prójimo y aun consigo mismo (se piensa con palabras) conforme lo ha venido haciendo desde los orígenes.

## UN SISTEMA EPISTEMOLÓGICO RELEVANTE

La teoría de Victor Skhlovsky sobre la defamiliarización puede ayudar a entender la invención lingüística de *Parábola del náufrago*. Según el formalista ruso, el arte tiende a sugerir una visión diferente de las cosas familiares, una defamiliarización que sirve tres funciones: 1) distinguir la literatura de otros lenguajes, 2) renovar la percepción y 3) mostrar la historia literaria como una serie de «discontinuidades abruptas»[1], no una continuidad o

---

[1] Ver su ensayo «Art as Technique» (de 1917), recogido en *Russian Formalist Criticism*, comp. por Lee T. LEMON y Marion J. REIS, Lincoln, University of Nebraska Press, 1965.

un proceso, según piensan muchos. Si es cierta la teoría, no sorprenderá que el fenómeno opere en una novela «distinta», como lo es ésta. El examen de la defamiliarización, más que el del contexto histórico-literario, debe ser punto de partida para llegar a la cabal comprensión de la obra. Lo «típico» de Delibes no es forzosamente su realismo, aunque si habláramos sólo dentro del contexto histórico-literario es probable que lo tratáramos como si fuera su tendencia personal. Lo que considero equivocado es verlo como un realista del siglo xx. Sus novelas tempranas tienen características realistas, y *Aún es de día* o *Mi idolatrado hijo Sisí* son, ciertamente, buenos ejemplos de realismo, pero no bastan para concluir que la categoría crítica «realismo» explique mejor que otras el arte del novelista, sobre todo en vista de sus reiteradas declaraciones, que más nos acercan a la ecología que a la literatura. Esto parece haber pasado desapercibido para algunos críticos; una excepción es Laureano Bonet, que ha reconocido la complejidad del arte de Delibes, considerando que la asociación de éste con el realismo no es definitiva, sino transitoria, y admite importantes factores extraliterarios [2].

Al examinar los rasgos del lenguaje en *Las ratas*, creo haber demostrado la presencia de un interés lingüístico poco «realista» y nada convencional; en vez de un despliegue de procedimientos miméticos, la novela es una estudiada concentración de ciertos fenómenos del lenguaje. En *Cinco horas con Mario* ese mismo interés se reveló en la meticulosa elaboración del lenguaje hablado. El lenguaje en *Parábola del náufrago* se caracteriza por su complejidad y por originarse en la conciencia de que en el mundo contemporáneo, junto con el lenguaje propiamente humano, se dan otros —el mecánico sobre todo— que favorecen la degradación de esa humanidad que la palabra declara. Por eso el experimento lingüístico es aquí más atrevido. Desde la primera página se anuncia la invasión del texto por un lenguaje mecanizado, cuya presencia se trasluce en la falta de comunicación entre los personajes, en la imposibilidad de hallar un interlocutor que no sea el espejo y en la compulsividad del discurso que de la escritu-

---

[2] Ver su artículo «Miguel Delibes: Del tremendismo a la literatura bumerang», en *Destino*, n.° 1.763, 17 de julio de 1971.

ra pasa al dictado, con las consecuencias que en seguida veremos.

Para explorar a fondo *Parábola del náufrago*, y aun reconociendo desde luego que son varias las vías de acceso, enfocaré mi estudio sobre el aspecto lingüístico, pues parece deseable realizar el mismo tipo de análisis en las seis novelas estudiadas. Reconozco que un estudio antropológico podría ser una aproximación muy valiosa y pertinente, ya que la imagen del hombre expuesta en *Parábola del náufrago* sin duda servirá para iluminar la condición humana en un momento histórico en que del estado más «avanzado» se retrocede a un estado *pre*-primitivo, a la animalización; el lector es testigo de cómo se desarrolla en la novela la siguiente afirmación autorial: «Todo progreso, todo impulso hacia adelante, comporta un retroceso, un paso atrás, lo que en términos cinegéticos, jerga que a mí me es muy cara, llamaríamos un culatazo» (p. 24, «El progreso», en *S.O.S.*).

## DEFAMILIARIZACIÓN DEL DISCURSO NARRATIVO

Diciendo, pues, que la inventiva lingüística es un rasgo estilístico llamativo e innovador, veamos cómo se relaciona con la defamiliarización. Para empezar, vale recordar lo quizá obvio (pero quizá olvidado): sólo lo «familiar» puede ser defamiliarizado; lo extraño o lo nuevo sigue siendo como es; dada su contextura, excluye el mecanismo defamiliarizante. En *Parábola del náufrago* lo primero claramente defamiliarizado es el discurso. Desde la primera página, es evidente que el narrador escribe de dos maneras, aunque no lo sea tanto el por qué de esta dualidad. Comienza con una innovación: el texto no está dividido en párrafos y la descripción es una adición de los objetos descritos:

Primero estaba la calzada con el paso cebrado de peatones, luego la acera de grises losetas hexagonales, luego la verja de barras rematadas en punta de flecha, después el jardín, [etc.]

(p. 9)

Súbitamente, sin transición, este tipo de prosa (reproduzco un breve fragmento) se interrumpe y es sustituida

por una enumeración que arranca del margen izquierdo
de la página y queda en ella como una lista:

— igual, igual a =
— punto = a .
— coma = a ,
— punto y coma = a ;
— dos puntos = :
— comillas = a « »
— abrir paréntesis = a (
— cerrar paréntesis = a )
— abrir interrogación = a ¿
— cerrar interrogación = a ?

Los signos diacríticos se enuncian como parte de la
frase y *son* frases éstas entradas, aunque un tanto pertur-
badoras por su carácter insólito, ya que son formulaciones
seudomatemáticas y no «novelescas». Tales formulaciones
llaman la atención sobre la diferencia visual entre la voz
(«igual») y el signo (=), entre dos entidades que son la
misma, o lo mismo, pero que por ser expresadas conven-
cionalmente de distinta manera llegan a parecer esencial-
mente diferentes. No sobra esta lista, o serie de frases;
al exponerla a la atención del lector le indica el autor que
hay varios modos de escribir «lo mismo», y al admitir esa
variedad, incluso refiriéndose a algo que suele considerar-
se obvio y poco interesante (la representación verbal de
signos diacríticos), crea *materias diferentes*. Si se escribe
en silencio, los signos diacríticos son lo que son y nada
más: signos arbitrarios puntualizadores de lo escrito; pero
si se escribe a máquina, si el texto es dictado a un meca-
nógrafo o una máquina grabadora, parte de él saldrá de
su zona expresiva habitual (la inaudibilidad de los signos
diacríticos), y entrará en otra (el lenguaje hablado, que se
supone exento de los signos pertenecientes a lo escrito); se
produce si no una confusión, al menos una perturbación
—léase defamiliarización— en el lector de un texto en que
el signo fue sustituido por la palabra denominativa. Incluso a nivel «literal», cabe la ambivalencia.

Inmediatamente después de que los ojos vean una lista
y el oído capte una serie de ecuaciones, o sonidos agluti-
nados en frases, la segunda manera del narrador salta a la
página y se incorporan a ésta los signos, pero metamorfoseados en palabras:

Tras la verja coma a la derecha de la cancela coma junto al alerce coma se hallaba la caseta de Genaro abrir paréntesis al que ahora llamaban Gen dos puntos ¡Toma, Gen; ven, Gen! cerrar paréntesis coma como de muñecas coma blanca también

(pp. 9-10)

El efecto es sorprendente, desde luego: con sólo modificar la representación visual de una humilde coma, el estilo entero cambia y, más aún, la voz del narrador parece otra. ¿Qué voz, qué persona «dice» las comas? Ninguna. Decirlas es dictarlas y por consiguiente «escucharlas», grabarlas —a mano, a máquina—, no indicarlas implícitamente, en el ritmo de la prosa. Con esta minúscula innovación, el acto de narrar deja de serlo; la narración se convierte en dictado tan pronto como el hablante verbaliza los signos que al escribir callaría; se ha creado la irónica figura de un «dictador»: el que dicta, para reemplazar al complejo y multifacético narrador tradicional. El «contador» (el hombre que se cansa de sumar, el protagonista Jacinto, y el que cuenta o narra las cosas) será castigado, mientras el otro dictador, el visible, aparece como dueño del mundo novelesco, imponiendo a sus víctimas el contar inacabable de cifras sin sentido.

El narrador de *Parábola del náufrago* alterna entre dos maneras de dicción (contar y dictar), y por hacerlo, en vez de la seguridad normalmente asociada con la lectura, propone una curiosa inestabilidad. La lectura inquieta, por ser imprevisible, y el lector pierde a ratos la sensación de ir siendo informado de los hechos por un narrador humano; el cambio en el lenguaje narrativo le fuerza a recibir el mensaje mecánicamente, pues que así se emitió; a aceptar entre las palabras «verdaderas» (palabras con obvias asociaciones semánticas), ese extraño «híbrido» que es la palabra-objeto («punto», «coma»...).

## La voz humana y sus simulacros

Cuando se defamiliariza la figura del narrador, el lector experimenta una defamiliarización paralela: la relación entre ambos se vuelve precaria, aun si no deja de existir. Esta relación, por compleja que sea, no ha solido implicar ausencia de una voz, ya sea ficticia, ya sea real, de una criatura viviente. Los experimentos con una voz narrativa pre-, sub- o super-humana, fascinan por sugerirle al lector que es posible, si no dialogar, al menos «oír» lo que en realidad carece de voz. Un ciervo (en una novela francesa contemporánea) o un castaño (invención narrativa de Elena Quiroga), extraídos del mundo alegórico en donde todo habla, o puede hablar, presentan otros casos de voces narrativas no humanas. No dejan de recordar, sin embargo, la tradicional nostalgia del ser humano por comunicarse con un mundo prístino, mientras que el narrador de *Parábola del náufrago* representa todo lo contrario: el caso terrorífico del hombre que se va convirtiendo en máquina, el hombre que pierde su capacidad asociadora. La innovación de Delibes responde al clima desespiritualizante de nuestra era técnica, que nos habitúa a esperar no sólo la transmisión telefónica de la voz, sino a veces hasta menos: la grabación de esa voz, a la que no podemos dirigirnos directamente.

Al seguir la manera del narrador-dictador de *Parábola,* se experimenta un cambio análogo que alternativamente le transmuta de oyente en grabadora. Esta transformación se relaciona con los temas, uno de los cuales, la abdicación de la expresión, se va presentando en varios niveles, siendo tal vez el más revelador el sugerido por la fórmula narrativa de vaivén entre la comunicación tradicional y su abandono en favor de la emisión mecánica (el dictado). Así se inicia una alteración expresiva y se da al lector la sensación de que la información procede de una voz que «instruye» tanto como «informa». En el narrador, la modificación lingüística no se debe al miedo ni a la animalización, como en el personaje, sino a la necesidad de registrar en el discurso las etapas de la degradación, tan objetivamente observada en la historia de Jacinto.

Al extender a la figura del narrador las incertidumbres asociadas en la mente lectora con la consistencia del ente ficticio, se extiende y se intensifica la impresión de que el hombre de hoy vive en trance de perdición literal; gracias a una técnica que hace tangible la generalidad de esas incertidumbres, la fantasía, instalada en la butaca del lector, le convierte en el espacio de la lectura en receptor mecánico de un discurso mecánico (dictado). Cuando los signos diacríticos aparecen equiparados a las palabras, el texto parece más grabable que leíble. A la función lectora le sustituye la función grabadora. Todo esto forma parte de la experiencia total llamada «lectura», que en esta novela se relaciona con la abdicación de la lectura.

Los personajes padecen una tiranía fantástica, y el narrador le señala al lector un peligro derivado de ella: la paulatina pérdida de control sobre el lenguaje causada por la creciente sumisión al poder persuasivo de las máquinas, capaces de pervertir el habla y la escritura mudándolas en monstruosidades tecnológicas: reproducir en lo escrito lo llamado a ser mero signo; preservar en cinta magnetofónica la voz del desaparecido para mantener con él una relación artificial; grabar nuestros errores verbales como el aire y la memoria no lo harían; captar opiniones y juicios someros; en una palabra, engañarnos en cuanto a nuestra condición, prolongando lo transitorio hasta la permanencia sin discriminar entre lo merecedor de la duración y lo que preferiríamos dejar en su natural estado transitorio. El empeño del artista por hacer duradero lo bello y lo vital suponía el talento de crear objetos dignos de ser conservados. Esto requiere un tiempo de maduración, para fijar la intuición en la palabra [3]. Con la reproducción instantánea del pensamiento y la multiplicación del objeto por medios mecánicos todo ha cambiado, y cabe preguntarse: ¿será la obra de arte aniquilada por el mismo exceso de medios que el mundo moderno pone a nuestra disposición? El ojo del artista contemporáneo tiende a fijarse en los *mecanismos* reproductores y la multiplicidad, incorporándolos a veces como ingredientes esenciales del objeto.

Al lado de las pregonadas excelencias de la tecnología avanzada, sus peligros y sus daños son ya evidentes, sobre todo cuando el aparato tecnológico cae en manos de impulsos totalitarios. (En un ensayo sobre el tema del control climático, Delibes plantea justamente las consecuencias negativas de tal control y supone lo que ocurriría si los intereses políticos dictaran el clima.) *Parábola del*

---

[3] Recientemente salió entrevistado en televisión un pintor de Nueva York cuyo concepto de su propio mérito artístico dependía de su velocidad trabajadora. Caso insólito, Mark Haller ya tiene firmados más de 82.000 cuadros enmarcados, y demostró su talento peculiar pintando —y enmarcando— delante de la cámara televisora un paisaje en un minuto y veinte segundos. Independiente, y ajeno a métodos tecnológicos, este hombre asimiló, sin embargo, su mayor lección: la rapidez es lo esencial. (Entrevista en la CBS, 24 de mayo de 1979.)

*náufrago* recuerda gravemente que aceptar las maravillas de la tecnología implica aceptar los males que de ella se derivan a velocidad pasmosa. El protagonista transmite esta preocupación; casi anulado por la ferocidad burocrática y dictatorial del medio, ansía un dulce escape a la vida mansa y libre, lejos de la programación constante a que vive sujeto; involuntaria e inconscientemente, desembocará en ese estado cuando al final sea metamorfoseado en borrego.

El proceso hacia este final describe la trayectoria de un estado a otro, desde el supuesto bien (la dictadura manipuladora se auto-describe siempre en términos favorables, forzándolos sobre los demás) al mal (el exilio del «bien»). En realidad, se va del mal absoluto, la esclavitud, a un estado sólo calificable como desintegración total. La animalización es, según los animalizantes la consideran, liberación de los últimos escrúpulos y del rescoldo de inquietud que lleva consigo el acto de pensar. La diferencia entre el hombre animalizado y el animal es nula. Cuando Gen-perro reacciona caninamente al trato que recibe de los antiguos compañeros, se advierte que en cuanto perro por lo menos ofrece cierta armonía entre conducta y figura, una armonía que no se da en quienes pareciendo humanos no son en esencia y existencia más que cosas, instrumentos. Si se trata de adecuar apariencia y consistencia, el nivel biológico con la conducta, el perro tiene un equilibrio ausente en quienes le atormentan. Un escrutinio previo de este fenómeno fue ofrecido en 1958 por Francisco Ayala en su sátira política *Muertes de perro*, que traza y juzga lo animalesco con gran perspicacia, mostrando cómo caracteriza tanto al hombre como al perro. El narrador de *Parábola del náufrago* sugiere que lo espantoso no es convertirse en perro, si ya moralmente nos habíamos cosificado, aun conservando la forma humana; lo horrible es la sumisión total, que ya se daba en el personaje, aunque la metamorfosis la haga más visible:

Genaro había cambiado mucho y sin embargo aquella transformación no parecía afectarle punto y coma se diría que aceptaba satisfecho la nueva situación e incluso si Darío Esteban le enviaba un puntapié coma jamás chistaba coma al contrario coma encajaba el castigo como merecido coma doblaba los codos y las rodillas humildemente y con la barriga pegada al suelo se refugiaba en la garita y coma una vez dentro coma se ovillaba y miraba a su agresor desde el borde de la gatera con los ojos enramados coma implorantes punto y aparte

(p. 12)

La progresión novelística es una regresión genética, acompañada por cambios cruciales en el lenguaje. En cuatro aspectos lingüísticos aislables se capta el curso de la transformación, presentada en la novela y leída como una fantasía debido a la dramatización del proceso animalizante. Los aspectos lingüísticos no se suceden como peldaños, aunque sí van dejándose ver en sucesión en el curso del relato. El primero es lo equívoco; el segundo, lo irracional; el tercero, lo vocal; el cuarto, el vacío verbal. En la paulatina abdicación del lenguaje entran los otros dos temas, el miedo y la animalización, y éstos, centrados en la primera mitad de la novela en la animalización de Gen, conducen en la segunda a la animalización total del protagonista, y al completo abandono de la palabra.

## Lo equívoco

La realidad del mundo social de Jacinto San José es sumamente equívoca e incierta: no logra enterarse de qué suma, siendo sumar su oficio y su ejercicio; no sabe cuál es el sexo del jefe, don Abdón, «El padre más madre de todos los padres» (dicho repetidas veces, a guisa de consigna para el lector, de epíteto para don Abdón; y no se sabe si la sociedad regida por éste es matriarcal o patriarcal). La transformación de un hombre en perro le cambia de forma, pero nadie está seguro de hasta qué punto subsiste un resto de humanidad en el animal [4]. Las coordenadas dentro de las cuales vivimos en cuanto criaturas sociales: condición humana, sexo, actividad, instituciones sociales... son aquí imprecisas, equívocas y contradictorias. Como consecuencia de tal situación, las funciones biológicas y sociales del individuo se ofuscan. Jacinto, partícipe de este orden, no posee ni la relativa certidumbre garantizada por

---

[4] La metamorfosis y las reacciones que suscita, recuerdan la conocida novela de Kafka. Gregorio, como Gen, pierde su identidad humana, pero —a diferencia de él— mantiene su asociación con ella, subrayándose así lo horrible del cambio.

la vigencia de una jerarquía, ni la capacidad de retener los referentes mentales y sensoriales que sobreviven en su conciencia como inconexos fragmentos de un ser anterior a la historia. Al pasar de remotamente posibles a inmediatamente constatables ciertos estados biológicos (un ente hermafrodita, don Abdón; un ente humano-animal, Gen), la mente y la sensibilidad educadas a concebirlo como monstruosidades temibles sufren de su cotidianeidad; los sentidos pierden confianza en sus percepciones al verse obligados a constatar la fluidez de lo hasta entonces considerado como permanente. Obedecer, para preservarse intactos, es la regla observada por los personajes mecanizados, sometidos a la tiranía de don Abdón; y el acto de disentir, siquiera en el grado mínimo de preguntarse por el sentido del propio quehacer, es —en cuanto revela la persistencia de un instinto a diferir y ser, de recuperar lo personal— la fuerza que sustenta la «parábola». El título sugiere que el esfuerzo de Jacinto por mantener un mínimo de humanización, a pesar de la opresión, es ejemplar, e indica también que ese esfuerzo conduce al fracaso, al «naufragio». El asunto mismo es equívoco: ¿es una parábola, todavía, cuando la protesta supone la catástrofe, ser reducido a condición animal? Delibes plantea la pregunta, y parece que apoya la protesta del personaje, incluso si hacerlo supone apostar a la sanción reductora. Si ilustrarla en la ficción puede impedirlo en la realidad, la novela habrá cumplido una verdadera función social.

La noción de «género» opera en conjunto, sobre lo biológico y lo lingüístico, en esta primera fase de la novela, cuya filiación no me parece fácil, salvo si admitimos como «género» la aplicación de un adjetivo descriptor. Ya se ha dicho que el jefe usurpa a la vez el género masculino y el femenino, y al hacerlo borra la distinción sexual. Hasta su nombre parece construido para ilustrar el punto lingüísticamente: reducido a sus vocales capicúas, es o-a-o; y el patrón genérico corresponde con el «epíteto» que le caracteriza:

El padre / más madre de / todos los padres.
el / la / los

El masculino en singular es seguido por el femenino en singular, y vuelve el masculino, pero en un plural (que implica el femenino). Es decir, el nombre del dictador invade los géneros, así como su voluntad invade y aplasta las de los demás. El nombre es significativo, creo, porque ilustra a nivel lingüístico lo característico del tirano: la falta de consideración por las diferencias ajenas, incluso las esenciales. Al dar al personaje este nombre grotesco, el autor realza lo esperpéntico y alucinante del fenómeno sin siquiera tener que explicarlo. No todos los nombres de los personajes se prestan a un comentario lingüístico así, pero éste, por ser emblema del ambiente fantástico y degradado de la novela, merece nuestra reflexión. Unido con el nombre como invasión de lo ajeno, existe el nombre como afirmación de la neutralidad; a nivel gramatical, ya se vio la combinación de los artículos como representativa de un solo ente; a nivel semántico, ocurre lo mismo: padre-madre-padres, ¿qué significa? Tanto significa que no significa nada.

Lo equívoco del nombre se observa también en el hecho del empleo antifrásico del título «don»; en el mundo antiguo don Adbón no tendría derecho al «don», pues para usarlo, quien lo llevaba tenía que ser «señor» *(dominus)*, y más modernamente tener ilustración acreditada por un título académico. Al no tenerlo, y al tener en cambio un nombre que remacha fónicamente el carácter *(Abdón*, con la sílaba tónica en el dón), se crea una antífrasis: se expone una idea por la idea contraria, salvo que (y quizá sea importante) falta la entonación irónica que normalmente acompaña lo antifrásico. En el ambiente alucinatorio de *Parábola del náufrago* subsisten unos pocos seres capaces de ver que este nombre es, en efecto, una antífrasis. La mayoría de los personajes padecen sin cuestionarlos los valores del Régimen y emplean el absurdo lenguaje descriptivo de modo literal, no irónico. La distinción entre los rebeldes-víctimas y los sometidos e instrumentalizados la establece el modo de reaccionar unos y otros al lenguaje oficial de la burocracia y sus nombres. Don Abdón lleva el «don» único, distintivo, y los suyos (¿como premio?) nombres, dos a menudo: Darío Esteban, por ejemplo. Las víctimas pierden sus nombres. Genaro Martín, hecho perro, será «gen», con minúscula; Jacinto San José se reducirá a «jacinto», y al final, en la pradera solitaria donde trisca, quedará como un cordero sin mancha de pensamiento, perderá toda asociación identificadora con su nombre pasado. La oscilación narrativa entre la jota mayúscula y la jota minúscula, J/j, señala la progresiva degradación: el signo lingüístico presagia el hecho antes de que se cuente en palabras. Esta eliminación simbólica y luego real del individuo no es nada nuevo en los regímenes totalitarios.

Volviendo al valor semántico del nombre de Abdón: hay una riqueza connotativa en la voz «don». Lógicamente, al hacer hincapié en este título, debiera serle aplicable algo de esa riqueza. De nuevo encontramos no lógica, sino una mezcla de la antífrasis y la dilogía. Basta repasar mentalmente las significaciones del vocablo «don» para darse cuenta de que son pocas las asociaciones que encajan y muchas las que recuerdan lo irónico y hasta burlesco del uso del título en este caso.

Como concentración antifrásica, pues, debe entenderse el nombre inventado para el personaje dirigente de la sociedad padecida por Jacinto, el héroe manso de *Parábola del náufrago*. Los enunciados del dictador son, asimismo, antífrasis: violaciones del sentido común que convertidas en consignas se van grabando en los cerebros a fuerza de repetirse, haciendo de la verdad mentira, obligando a la aceptación de gato por liebre y reduciendo la capacidad del oyente para distinguir entre lo irónico (característico de la antífrasis, como deja ver el narrador-hablador) y lo literal (mensaje aparente, o «superficial»). El proceso corruptor del lenguaje político lo estudió hace ya más de treinta años George Orwell, y a su explicación me atengo [5]. La ofuscación mental de un pueblo se logra por la manipulación del lenguaje, y las dictaduras de nuestro siglo han dado demasiadas pruebas del éxito del método. Existe en *Parábola del náufrago* esa ofuscación total; pero no voy a analizarlo aquí, sino a señalarla al paso, mientras examino cómo, desde el punto de vista lingüístico, el lenguaje es alterado para servir a la política.

Apuntemos algunas de las consignas oficiales, *dictum* que son llamados eslóganes, del burocratismo reinante:

1. «Sumar es la más noble actividad del hombre sobre la tierra.»

(p. 20)

---

[5] Ver «Politics and The English Language», en *A Collection of Essays*, Nueva York, Doubleday, 1946.

2. «Hablar de deportes es aún más saludable que practicarlos.»
(p. 20)

3. «Eludir la responsabilidad es el primer paso para ser felices.»

(p. 20)

En otras palabras, los ciudadanos deben pensar lo siguiente:

1. El trabajo mecánico es muy valioso.
2. El comentario del ejercicio físico es preferible a la práctica vigorizadora de éste.
3. Dejar los cuidados a otro es condición para la felicidad.

Traducidos a un lenguaje más amenazante y directo, los llamados principios de don Abdón transparentan claramente la finalidad que persiguen. El hombre 1) mecanizado, 2) debilitado y 3) dependiente será fácilmente manejable. Las consignas oficiales son menos crudas, y por su insistencia en lo ameliorativo y su aparente neutralidad (no se menciona al planificador de este mundo), lo positivo de las afirmaciones ofrecidas como verdades indiscutibles ayuda a que se impongan por sí mismas.

Cogido en esta trampa verbal, no sorprende que Jacinto llegue a la conclusión de que el lenguaje es traidor; que en vez de comunicar, manipula a quien lo recibe. Las palabras se le convierten en entidades sospechosas, encubridoras de oscuros motivos y portadoras de un sistema de significaciones que no acierta a descifrar, de un sistema siniestro al que no sabe cómo objetar, ya que el lenguaje oficial y el suyo no sirven para lo mismo. ¿Cómo combatir un lenguaje hecho para confundir con el lenguaje de la transparencia y el candor? La única defensa posible será abdicar del lenguaje, callar. Así el eslogan personal de Jacinto será: «POR LA MUDEZ A LA PAZ.»

Callar voluntariamente; aceptar un silencio artificial, pues en vez de expresar un vacío sugiere un contenido que no debe manifestarse; las ideas del hablante autocensuradas por ser demasiado «peligrosas». Este silencio produce una inversión: hablar ya no es expresarse, sino *dejar de expresarse* y llenar el aire de sonidos sin sentido: el hablante repite las consignas recibidas por obligación, para evitar el castigo que lleva consigo la más mínima discrepancia verbal, como indicio de su rebeldía.

La voluntad de callar no es nueva en el héroe delibeano. Ya la observamos en el Nini y después, más dramáticamente, en Mario; en *Parábola* toma proporciones temibles en un ser cuya situación en la sociedad no es ya ni marginal *(Las ratas)* ni crítica *(Cinco horas),* sino subyugada. Cuando Jacinto se marea al hacer ceros, Darío Esteban lo atribuye a la curiosidad de saber qué suma, y le manda al Dispensario don Abdón (el nombre invade géneros, lugares, creencias...). El diálogo con el médico, en teoría orientado hacia la cura, es otra muestra de cómo el lenguaje antifrásico infiltró la mentalidad colectiva, empeñada en considerar malsano cuanto pueda interpretarse como censura, por velada que sea, al Régimen.

En la oficina del médico, la situación angustiosa de Jacinto se agudiza; en vez de hallar compasión, comprensión, terapéutica, el enfermo es sometido a un interrogatorio de clara finalidad debilitante. El «héroe» sólo quería saber lo que representaba el cero, y en vez de decírselo, el doctor —no tiene respuestas, ni siquiera intenta sugerirlas, lo que hubiera aliviado el ansia del paciente— provoca en él una confusión mayor, castigo por atreverse a mostrar una chispa de curiosidad. Después de pedirle que escriba unos ceros, el médico aclara: «lo mire por donde lo mire, no es un cero, es una 'O'. Jacinto parpadea como una liebre sorprendida en la cama y, a cada parpadeo, sus cándidos ojos azules aparecen más desconcertados» (página 55). Luego le hace otras preguntas, le manda que escriba su nombre y le pregunta capciosamente: «¿En qué diferencia usted la O de Jacinto de los ceros que ha trazado más arriba?» (p. 56). La respuesta del aturdido es: «¿Sabe que tiene usted razón, doctor? Son exactamente iguales» (p. 57).

El juego semiótico aquí insinuado demuestra la necesidad de un contexto preciso para que dos individuos dialoguen y se comprendan. En la consulta médica ocurre a nivel caracterológico lo que ha venido sucediendo a nivel ideológico con la reiteración y sistematización de los eslóganes: trastrocar el modo lógico de expresarse para que lo dicho adquiera un sentido diferente. Ya comprobamos cómo don Abdón maneja conceptos abstractos —libertad, felicidad y responsabilidad— para construir sus mensajes, consciente de que la vaguedad de los campos significativos en la expresión abstracta permite utilizarla como medio sutil de manipulación, lo que no sería tan fácil de conseguir operando en un campo de significación más concreto. El control ejercido sobre el pensamiento, esencial en una dictadura, se muestra bien en el caso de Jacinto; querría él precisar el referente de «cero», pero el médico quiere hacerle incapaz de concebir tal cosa, y acumula como posibles referentes del signo (escindido ya en cero/O) varios objetos distintos sin respetar *ningún contexto semántico*. Esos objetos, y otras cosas que van saliendo como «equivalencias», son:

— cero = O [letra] = huevo
— La 0 de «10 de abril» = bola o huevo
— la o de «calendario» = cero
— /o = lo = 10 = bolígrafo y pelota
— los ojos del doctor parecen «dos bolas de celuloide»

Según se avanza en este delirio de campos significativos, se pierde la noción de dos notas fundamentales que podríamos designar matemáticamente, los signos = y ≠. Ya ni se sabe qué equivale a qué, ni qué no equivale a qué; se ignora qué es qué. La sencilla pregunta del personaje fue: ¿qué representa el cero que yo sumo?, mientras la exasperante conducta del médico, encaminada a agravar la confusión mental de Jacinto, podría sintetizarse así: ¿qué relación tiene el signo escrito con todos sus posibles campos asociativos? Siendo arbitrario el signo, tal relación es nula; el contexto determina las asociaciones, y al someter la curiosidad de Jacinto a lo irracional y caótico, el médico destroza la posibilidad de diálogo: sus observaciones son un lavado de cerebro que conduce, por vía del absurdo, a la imposibilidad de pensar.

En el texto la escena es casi delirante y, sin embargo, su sentido está claro en relación con la realidad global de la novela. Algunos lectores habrán presenciado o experimentado la explotación del enfermo mental, y no faltan documentos del maltrato institucional a que fueron sometidos los dementes por sociedades incómodas ante el espectáculo de lo anormal. Miguel Delibes se interesaría de nuevo en el problema años después, en *Las guerras de nuestros antepasados*, planteando desde otra perspectiva el modo de comunicar entre médico y enfermo, «superior» e «inferior», respectivamente, dada la dependencia del enfermo y, empero, no desnivelados en lo personal.

La función estructural de la segunda sesión de Jacinto con el médico es mostrar cómo para el protagonista va siendo necesario y vital abdicar del lenguaje. Se observa una analogía curiosa: la novela empezó con una lista de equivalencias entre palabras y signos diacríticos, que en su momento pareció extrañamente obvia; ahora, lo «obvio» deja de serlo; la 'o' de Jacinto no es, como se suponía, una mera letra, sino una maraña de posibilidades arbitrarias e ilimitadas, que no cabe organizar racionalmente. Si el psiquiatra no es de fiar, tampoco lo es el lenguaje: el protagonista no puede afirmarse en las palabras porque éstas ya no dicen *lo que se supone quieren decir*. Frente a esta ambivalencia semántica, el narrador propone el sistema protector, claro e invariable, que es la gramática. En un ambiente equívoco puede, al menos, subrayar cuáles son *sus* referentes. Veamos algunos ejemplos:

1. «Levantó la pluma del papel (Jacinto).»

(p. 49)

2. «... el seto existe ya y su estómago (el de Jacinto) se contrae, su corazón (el de Jacinto) se acelera,»

(p. 71)

3. «... ésta es la razón para que funde su movimiento 'Por la Mudez a la Paz', mas, al hacerlo (al fundar el movimiento),»

(p. 160)

La frecuencia de la referencia aclaratoria (puesta entre paréntesis) manifiesta el afán del narrador por ser comprendido; por escribir en forma que no deje lugar a dudas, enmarcando lo contado en referentes invariables; por asegurar, en fin, que la mentalidad equívoca y la degeneración lingüística de la burocracia abdoniana no contamine su informe acerca del increíble caso del personaje, Jacinto San José. Las puntualizaciones narrativas *parecen* innecesarias por indicar referentes claramente distinguibles por el lector, mas son, en realidad, necesarias; sin la constante fidelidad del lenguaje al sistema racional de la gramática se esfumaría el punto de partida, el nexo entre narrador y lector, y la tragedia de Jacinto, su castigo por pensar, por querer ser hombre, no sería sino una aventura chocante.

Al recordar a cada poco quién es el sujeto descrito, el narrador preserva la identidad de éste: le defiende ¡gramaticalmente! contra un régimen cuyo objetivo es aplastarle. La técnica no es tanto experimental y estilística como reflejo de la preocupación social del autor, y esto prueba que su intención de tratar lo inquietante —la pérdida de la identidad— es sincera. Que el resultado artístico sea experimental o novedoso, como se ha señalado, es otra cuestión, en nada incompatible con esa finalidad autorial.

Las aclaraciones narrativas se deben al deseo de precisar (y así salvar) nombres, actos e ideas en un mundo donde la facultad racional del hombre es sistemáticamente entorpecida. El ataque a la razón se enfrenta con una defensa sistematizada e intensa en que el arma esclarecedora es la inclusión en el texto del *signo con su referente*, siempre que éste pueda dar lugar a dudas, e incluso cuando no las provoque, con el fin de reafirmar la validez de la relación significativa, de no consentir su sustitución por una relación silogística, o que la enturbie una expresión engañosa. Estilísticamente, el contrataque se realiza mediante la sistematización y la intensidad: el narrador escribe hasta la última página en su especial lenguaje. Aunque al final Jacinto haya perdido la condición humana (y el narrador aceptado ya esa realidad, llamándole «jacinto»), su aclaración gramatical postrera se refiere al protagonista degradado. Dice, refiriéndose al cordero ex hombre: «abre la boca (Jacinto), pero sólo grita:» (p. 230). La mayúscula es su manera de mostrar que el animalito fue persona, y cuál fue: la presentada al comienzo de la historia. La aclaración es, desde luego, patética.

## LO IRRACIONAL

El contrataque del personaje, que funciona en el sistema lingüístico de su medio, se lanza a cierta distancia psicológica del lector, habitante de un mundo nada fantástico. Jacinto tiene pocas opciones: dejarse devorar mentalmente (después el seto y el agua le amenazarán físicamente, contrapunto del primer riesgo) o construir otro idioma que, excluyendo el pernicioso lenguaje de don Abdón y sus secuaces, le permita expresarse como quiere. Empieza dejándose devorar cuando por temor e incertidumbre asiente a lo dicho por el médico; pronto se le hace intolerable ese lenguaje pervertido y prefiere el silencio total. Su movimiento, «Por la Mudez a la Paz», indica ya su voluntad de refugiarse en el silencio, y preparó el camino para la invención de un idioma nuevo. En el vacío surge algún sonido, luego sonidos, luego un sistema, un idioma sustituto del vigente. El esfuerzo idiomático del personaje recuerda el de quienes protegen su aparato respiratorio de la contaminación ambiental con una máscara (como ocurrió hace años en Los Angeles y volvió a ocurrir en el estado de Washington este año); la «pantalla» puesta por Jacinto para resguardar su salud mental es primero la mudez y después, cediendo a la necesidad vital de expresarse, un idioma propio, «el contracto».

La estructura de *Parábola del náufrago* se basa en la relación entre el contracto, producto de la imaginación del personaje, y el trabajo oficinesco de la realidad novelesca. En la oficina, Jacinto debe sumar ceros; en la mente resta sílabas, y ambas actividades se ciernen en torno a lo mismo: una materia de equívoca consistencia. Las cifras, que para colmo carecen de valor cuantitativo, pues son invariablemente ceros, meros «SUMANDOS», así como las sílabas del lenguaje oficial, en vez de agregarse a otras para tener sentido, conducen al sinsentido (humanamente hablando) de las consignas. Las palabras sí significan. El lema «ORDEN ES LIBERTAD», por ejemplo, se presta a una traducción como «Obedece y no te haremos daño». Quienes leen la cartela «dorada de caracteres rojos que caracolea en los extremos» (p. 24), donde resplandece el lema, descifran correctamente el mensaje: la obediencia ciega es condición del orden vigente, al que todos están sometidos, y la palabra «libertad» se convierte, como el cero, en un sumando sin valor propio, un signo hueco sumado a otros que son igualmente ruido y nada más. Darío Esteban expone el torvo razonamiento subyacente en el Reglamento cuando le explica a Genaro Martín su llamado crimen:

discutir el Reglamento de la Casa, que es don Abdón, comporta un desorden y todo desorden, consecuentemente, una vez admitida aquella premisa, comporta un atentado contra la libertad.

(p. 84)

Se destaca la dilogía implícita en la palabra «orden» (arreglo y mandamiento), y se comprende mejor la falacia del Reglamento. Lo que falta a este orden es sentido; el que se le atribuye es una deformación. Y lo que faltará en el «contracto» será justamente lo mismo: sentido. La invención de este seudolenguaje es consecuente con el estado mental del personaje oprimido y casi incapacitado racionalmente, pero asqueado por el lenguaje oficial. Intenta expresarse de un modo que le permita olvidar su condena a sumar (ahora él resta), encontrar en la sustancia verbal un descanso de la tortura mental de verse obligado a aceptar el sinsentido como si tuviera sentido y, finalmente, ceder a una especie de humor. Al dar vuelta al idioma descubre (como los *nonsense writers*, Lewis Carroll, G. M. Hopkins, Juan Ramón Jiménez, Vicente Huidobro, los poetas concretos...) una mina de sorpresas significativas dentro de lo absurdo, una manera de recombinar los conceptos y de tener acceso a transformaciones chocantes: humano → humo; momento → momo; presidente→ preso; tesorero→teso (pp. 99-100).

Si el nuevo léxico llega a tener algún sentido será por accidente: al acortar palabras, las sobrepone una significación eventual, la de las «verdaderas» palabras del contracto que, de ser tomadas en serio, reducirían el mensaje al absurdo. Lo interesante del juego de posibilidades iniciado por el «contracto» en contraste con las de la lengua común, es que por absurdos que sean los vocablos inventados, resultan admisibles en el campo significativo de la «normalidad». Un presidente de cualquier cosa, en *Parábola*, es un «preso» (de don Abdón); el llamado amigo es «amo» (daríoesteban); un discurso es un «disco» y muy rayado... Los poetas nunca tuvieron dificultad para lograr metamorfosis verbales (como no la tuvieron los chistosos), y siempre supieron que en ellas se revela una ambigüedad radical: lo que parece verdad puede ser mentira, y al revés. Con disciplina lingüística, se descubren inesperados campos de asociación, y en un contexto adecuado su presentación es clara. Unos versos del poeta americano Wallace Stevens afirman hermosamente tal posibilidad al desdecir las apariencias: «If all the green of spring were blue, / and it is.» «Green of spring», que parece locución indisoluble, se desgaja, se destiñe, se metamorfosea en «blue» cuando se vuelve la vista al cielo, a un río, a un lago recién deshelado bajo el sol primaveral...; con el agua brotará otra vez el verde, y al abrir azules los primeros narcisos, los ojos esperan ya el verdor; el «verde de la primavera» nace del azul anunciador.

Las posibilidades cristalizan en una red de asociaciones y experiencias que se forma no lógica sino fortuita e individualmente. Y si se impide la formación de esta red en el sujeto pensante por imponerse una misma para todos (la donabdónica), se destruye el delicado equilibrio entre sentido y significación. «Orden» adquiere a la fuerza y para todos la connotación definitiva de «obediencia», y un proceso degenerativo análogo corroe la significatividad de todas las palabras del lenguaje oficial.

¿Qué ocurre, entonces, cuando se altera una significación ya de suyo perturbadora, dado que no corresponde al «verdadero» sentido de la palabra? En el contracto se revela por casualidad que algunas palabras se definen mejor si son vistas en términos de *otra* palabra; al transformarse cabe agregar a la significación de la nuevamente creada algo de la correspondiente a la palabra acortada, cuando ésta es todavía reconocible. La conexión es a veces significativa, como ya se indicó con presidente → preso y amigo → amo. También, en palabras → palas. En estos ejemplos se advierte cierta conexión racional, mientras en otras aberraciones del contracto (momento → momo, etcétera) los accidentes lingüísticos no destapan realidades perceptibles. Dentro del delirio, no es fácil recuperar el sentido. Lo que sí cabe hacer es alzar frente al lenguaje degenerado que pretende parecer racional otro que ni pretende pasar por tal ni lo es, y se burla de la racionalidad atacando los principios en que se funda. Jacinto percibe que cuando utilizada por don Abdón y los daríoestebanes, «la palabra no sólo es voluble, sino un instrumento de agresión» (p. 82). Esta intuición es la misma de un teórico contemporáneo, George Steiner, que en *After Babel* (New York, 1975) expone la tesis sugerida por Delibes a través de su protagonista en *Parábola del náufrago*. El crítico coincide con el novelista en creer que la proliferación de idiomas acontecida después de la destrucción de la torre de Babel fue síntoma de la esencial hostilidad de cada hombre frente a los demás, hostilidad que se ha ido manifestando a lo largo de los siglos mediante la creación de nuevos idiomas encaminados no a matizar la representación de la realidad, ni a facilitar la comunicación de los pueblos, sino a romper la unión prístina entre ellos, diferenciándolos, y a servir de baluartes contra la agresión encarnada en «el otro». Jacinto lo entiende así y cree que puede consolar a Genaro, el amigo animalizado, con la verdad:

> Ya ves para lo que sirven las palabras, genaro martín, para embrollarte y hacerte decir lo que no has dicho, ¿puedes imaginar lo que sucederá el día que cada ciudadano pueda interpelar a tres mil millones de conciudadanos? Oye una cosa, genaro martín, el día que los genaromartines dispongan de un idioma inteligible para interpelar a los DARIOESTEBANES, los genaromartines sucumbirán porque nada solivianta tanto a los DARIOESTEBANES como que los genaromartines les interpelen.

(p. 85)

Guerra imposible es el diálogo en el mundo desafinado de *Parábola,* donde ni siquiera es permitido luchar; sólo reconocer la guerra como base de la existencia y aceptar como destino el hecho de perderla. Víctimas unos, verdugos otros, la expresión verbal de cada grupo registra su condición innata, así como en *Cinco horas con Mario* los antagónicos modos de emplear el lenguaje mostraban dos actitudes antitéticas frente a la vida.

Si la palabra es agresión, y no se quiere agredir —como le sucede a Jacinto (y a otros)—, deberá cambiarse su función para que en vez de degradar sirva como nexo de comprensión. ¿Cómo? Según Jacinto, bastaría contrarrestar ciertas tendencias, haciendo lo siguiente:

a) controlar el crecimiento desbocado del idioma, no admitiendo palabras nuevas (ecológicamente, evitar la superpoblación);

b) acortarlas sistemáticamente (se explican las reglas en la página 100 de la novela);

c) permitir a todos los hablantes moverse libremente, sin restringir su actividad, en lugar de forzarles a la aceptación pasiva de un idioma compuesto de inalterables frases hechas;

*d)* dejar que afloren los nuevos significados aportados por el contrapunto aunque parezcan arbitrarios (en vez de dejar que los intereses políticos manipulen los significados);

*e)* seguir las reglas de la Asociación.

Pero el proyecto idealizante es un «fraco» —un fracaso—, pues como confiesa Jacinto, «todo intento de comprensión por la palabra es una utopía» (p. 98); y añade el narrador «que, en contracto quedaba reducido a esto: 'Ni retora ni diala; todo into de compra por la pala es una uta'» (p. 98). No está mal, lo de «compra por la pala»...

Se ha pasado de un extremo de total sumisión a otro, a la libertad de formar un sistema lingüístico para combatir la corrupción del vigente, reemplazándola por algo mejor. ¿Ir de la dictadura a la democracia? Ni con eso se resolvería el problema constituido por la naturaleza humana misma que, pese a soñar lo utópico, es refractaria a la armonía. El grupo desesperado que se reúne para idear el contracto empezó un «diálogo amistoso [que] degeneró en agria polémica» (p. 101).

El episodio es otra parábola dentro de una novela que refiere la del rebelde-náufrago. La palabra, incluso en el contracto, sigue siendo agresión, y Jacinto comprueba lo excesivo del optimismo que le movió a formar la Asociación: «Desaprovechamos la Torre de Babel pero, aunque tarde, aún es tiempo» (p. 95). Pero ese tiempo, después de todo, no es visible.

El intento de llegar a otro tipo de diálogo y sustituir la agresión por el intercambio supone un claro idealismo, pues como Jacinto reconoce, incluso sus autodiálogos, o conversaciones con el espejo, abundantes en la novela, contienen un remanente de agresividad, una agresividad que él acepta y explica así:

únicamente si platicaba con el espejo se toleraba algunas licencias puesto que él (Jacinto), a lo sumo, podría destruir su imagen (el espejo), pero tal agresión no era grave en sí ni acarrearía consecuencias funestas para nadie.

(p. 95)

La lógica del personaje es clara y considerada: por respetar al otro, guarda para sí sus instintos agresivos. Disciplinar esos instintos es el *quid* de la cuestión: no se tienen, ni se disciplinan en la misma medida en cada individuo, ni se controlan del mismo modo, y eso convierte el diálogo en un espacio potencialmente agresivo; no es fácil predecir cómo la interacción mental afectará los instintos de cada cual y cuál será su capacidad para disciplinarlos. La educación refrena esos instintos como las cadenas a las bestias y a veces los hace pasar inadvertidos; pero el crujir de la reticencia o la hipocresía o el elogio irónico delatan a quienes creen haber controlado suficientemente, con el disimulo, esos instintos. A Jacinto le preocupa sobremanera disciplinar su propia agresividad, y porque se preocupa, la controla, pero cuando actúa en un grupo que se está volviendo agresivo, no sabe qué hacer, salvo apelar «débilmente a su condición de Preso [¡vaya ironía!] de la asociación recién constituida» (página 101). No hay autoridad que valga una vez desbocada la agresión colectiva, como se ve en la escena de la riña que estalla de repente cuando no logran ponerse de acuerdo varios miembros de la asociación.

Delibes presenta un dilema, pero rescata al lector de la desolación amenazante cuando inyecta el humor en la narración. Las páginas dedicadas a la aventura idiomática del contracto cuentan un fracaso, pero con tal gracia que a primera vista el lector apenas repara en sus implicaciones: el placer estético le arrastra; le divierte la súbita aparición de un chorro de frases absurdas, de significaciones nuevas y sorprendentes, de una colección de insultos y obscenidades que resultan cómicos por su radical cambio morfológico («jardo de mierda», «Vete a freír puñetas», o: «¡Eres un dicto y un gilipas!», pp. 102 y 101). Hay un diálogo juguetón, todo determinante de un nuevo aire expresivo útil para aliviar, clásicamente, el ambiente opresivo de la burocracia totalitaria [6]. Hasta el narrador, un ente que se conducía sistemáticamente como hombre o como máquina, se contagia, y adopta una ter-

---

[6] Algunos ejemplos más:
1) «Es un pelo hablar más de lo que se piensa» (p. 99).
2) «Seamos lacos y procuremos que un humo hable lo menos poso con otro humo puesto que si un humo habla poco con otro humo, la discrepa es imposa y por tanto abocaremos a una eta pacifa defina» (p. 100). Aquí, la broma envuelve toda una teoría.
3) «Los tiempos verbos, salvo el parto paso, no contractan» (p. 100).
4) «¡Pues el preso me toca a mí los cojos!» (p. 101).

cera manera de contar. Empieza una sección (no es párrafo) de modo tradicional: «César Fuentes, Baudelio Villamayor y Eutilio Crespo sonreían al dar la palmada aquiescente», recordando el estilo de *La hoja roja*, pero, según avanza su descripción de la junta de la Asociación, el contracto afecta su propio lenguaje narrativo de manera que recuerda el estilo indirecto libre: «César Fuentes se obstinaba en leer el sono de Anto Macho.» Si el episodio se hubiera prolongado durante un número mayor de páginas, es de suponer que hubieran aparecido en ellas más palabras del contracto, por un fenómeno análogo al producido por la relación continuada de un idioma con otro. La actitud del narrador apunta el comienzo de un proceso lingüístico normal, y en él vemos otra vez que la novedad estilística de esta novela se debe a la aplicación de ciertos principios; el cambio en el lenguaje del narrador no es consecuencia de un cambio personal de orden religioso, económico o social (el interesante caso de Torquemada, estudiado por el profesor Douglass Rogers, es un ejemplo de esto), sino ocasionado por la incorporación de modos verbales ajenos.

Que dure poco la aventura idiomática es lógico, porque basada como está en la irracionalidad, en el silogismo y en la convicción de que todo lenguaje es agresión, el discurso y el diálogo se apagan solos y el silencio vuelve a reinar. «Por la Mudez a la Paz» es, después de todo, una conclusión recomendable. En boca cerrada, como reza la sabiduría popular, no entran moscas.


Lo vocal

Tras el esfuerzo desaforado por establecer la comunicación utilizando un instrumento nuevo, el fracaso es un hecho. Como el orden temporal narrativo no es lineal, el efecto resulta delirante: se va de lo equívoco (lo donabdónico) a lo irracional (el contracto), y de ahí, vuelta al meollo de lo equívoco, la conversación con el psiquiatra. Este vaivén es inconexo; fuera de contexto se recuerdan las significaciones de la 'O', que luego van desvaneciéndose en el discurso, como Jacinto se desvanece en la oficina. Diagnosticado su mal como «una vulgar neurosis del sumador» y acentuado por el descubrimiento de que la armonía no se alcanza ni siquiera por medio de un idioma nuevo, ocurre esto:

Jacinto iba sintiéndose ajeno al mundo circundante, aislado como en un desierto, y se decía «la Torre de Babel fue nuestra única oportunidad», se decía Jacinto convencido, y pensaba que una mirada o una mueca comportaban mayores posibilidades expresivas que un torrente de palabras, puesto que las palabras se habían vuelto herméticas, ambiguas o vacías al perder su virginidad.

(p. 109)

Aquí ya no dice «aún es tiempo», sino «fue nuestra única oportunidad», y con ello constata el autoexilio del discurso. Las palabras son inservibles, y el hablante se recoge en el silencio. Su perspectiva hacia la vida ya no es la de antaño, cuando era un sumador abrumado por la ignorancia, sino la del ser pensante que más que con el universo del discurso se relaciona con el mundo sensorial. Esta pérdida, beneficio o epifanía (la calificación depende de la opinión que se tenga del cambio de perspectiva del personaje) va a imponer el cultivo de un nuevo aspecto del lenguaje: el puramente vocal, que mantiene el contacto entre texto, personaje y mundo sensorial. Otra vez, el lenguaje descriptivo se ajusta al cambio de circunstancias.

Si el discurso no es válido como expresión auténtica de la persona que lo rechaza, el lenguaje queda eliminado como medio de comunicación, y hay que descender a otro nivel, el del sonido, en donde no se dan la equivocidad, la irracionalidad ni la agresividad. El afán de eliminar estos aspectos del lenguaje acerca el personaje al protagonista de *Cinco horas*, que excluyó de su habla todo lo que le parecía interferir en los conceptos y principios del cristianismo expresado en la Biblia. (El Nini, en su laconismo, mostró semejante reacción a lo foráneo y lo frívolo en el lenguaje.) La decisiva decepción de Jacinto hace que el lenguaje pase de ser un sistema de sonidos y signos al mero sonido, a *lo* vocal. En lo puramente auditivo, no cabe distinción entre signo y sonido, pues el significado sólo es representable con letras que reproduzcan sonidos, con onomatopeyas. El eventual sentido de estos significantes es mucho más limitado: lo que no suena, no existe en lenguaje onomatopéyico. La «o», por ejemplo, puede seguir producuendo reacciones diversas acerca de su significado, y será necesario precisar el contexto en que aparece antes de decidir cuál es su sentido. Cuando éste parece esclarecido, la «o» sólo indica *lo que suena así*, y no una serie abstracta de posibilidades cuya representación pluriforme complica el asunto. La confusión significativa, exagerada en *Parábola*, llega a alterar el aparato perceptivo de Jacinto.

Las significaciones de la «o» han crecido tan vertiginosamente como las ramas del seto, la planta —no nutricia— cuya voracidad amenaza la seguridad física de Jacinto. El lenguaje equívoco, como la naturaleza desatada, es una fuerza que pone en peligro el equilibrio mental y la seguridad del hombre, y no sorprende, al menos a esta lectora, que tales fuerzas se presenten como paralelas en *Parábola del náufrago*. Lo que proyectan los ojos del médico no es una voluntad de aclaración y comprensión, sino la determinación de provocar más confusión, simbolizada en su hostilidad escrutadora. *Todo* —médico, respuestas, ceros, oes, objetos, cosas aún no nombradas, etc.— es/puede ser/no ser O: todo, pues, equiparable a nada.

La angustia del personaje es el producto de la comunicación intentada, y ni el contracto, ni la entrega al orden mental del doctor, alivian esa angustia; más bien la acucian, lanzándole a un miedo profundo. En este instante nace el tercer aspecto del idioma, audible en lo onomatopéyico. Por ser tan intensa y concentrada, la introducción al rico mundo de los sonidos produce cierta defamiliarización: no se suele encontrar en la literatura novelesca una presentación concentrada de los sonidos de la naturaleza; la transcripción narrativa es aquí meticulosa y, como era de esperar, sistemática. Cada sonido se describe primero en palabras para identificar el referente, y luego es representado ortográficamente. He aquí un pasaje que refleja las percepciones de Jacinto, fatigado y desesperado:

entre sueño y sueño, oye el zureo de una tórtola, zurrur, o el graznido de una grajeta, quiiá, o el silbido de un mirlo, tsii, o el galleo de una pega, chac-chac, o (una vez que las rayas luminosas de la persiana se oscurecen) el concierto iterativo del ruiseñor, choqui-piu-piu-piú, o la llamada un poco lúgubre del mochuelo desde la copa del olmo, quiú, o el cloqueo del papavientos, guu-ec, que, como de costumbre, caza mosquitos en el camino.

(pp. 112-113)

Aunque no se note en la superficie verbal, el proceso inventivo del personaje sigue en marcha; las palabras son del narrador, y el discurso suyo es, pero lo ha puesto al servicio de aquél: describe cómo suena lo que oye Jacinto, que en su profunda decepción respecto al lenguaje se ha hecho más receptivo a las resonancias de lo no-humano. Como en *Las ratas*, el narrador ajusta su receptividad a la del personaje, de oído hipersensible, afinado a los sonidos del mundo natural.

El cambio de escenario de la oficina a la cabaña donde se recluye al personaje para curarle de su «vulgar neurosis» se marca por el abandono de los lenguajes vigentes, del burocrático y del inventado, y por la intensificación de lo onomatopéyico. Llamo «vocal» a esta modalidad porque los sonidos captados por Jacinto acaban siendo la voz de su último interlocutor: la naturaleza, que si no llega a entrar en diálogo con él, sí actúa como sustituto de los humanos y del espejo, de los que fueron destinatarios de su palabra cuando aún hacía uso de ella. El hecho es importante y duplica en la nueva situación algo que caracterizaba las anteriores, cuando el decir del personaje era ya un autodiálogo, conversación mental frente al espejo. Luego no habrá espejo, pero «la vaguada» opera como espejo y devuelve al emisor, levemente apocado, el eco de sus sonidos. La vaguada, a diferencia del animal (recuérdese la perra «Fa» en *Las ratas*, o en Unamuno, el perro de Augusto Pérez en *Niebla)*, sólo puede servir de caja de resonancias, sin interacción mutua, sin intercambio. Mero duplicador del sonido, del tono, de la intensidad, la vaguada no devolverá más que la parte final de un mensaje largo, y si es corto, lo repetirá íntegro, como quien devuelve una pelota.

Corro el riesgo de aburrir al lector con estas observaciones elementales, que no pretenden ofrecer como original lo que todo el mundo sabe sobre el eco; quiero subrayar la diferencia entre la relación exclusivamente auditiva y el mecanismo de diálogo, en que el interlocutor no se limita a repetir, sino que asiente, refuta, etc. En el ambiente kafkiano de *Parábola*, la interacción verbal entre gobernante y gobernados reviste las *apariencias* del diálogo, pero en verdad tal fenómeno es ilusorio: los súbditos son la vaguada, productores de ecos, y don Abdón el único que los suscita.

En *Las ratas* observamos cómo dialogan y se entienden en su mundo dos personajes con un mínimo de signos verbales; en *Cinco horas con Mario*, el habla —en el pseudodiálogo— fue realmente una inmersión en un monólogo; en *Parábola del náufrago*, las palabras son intercambiadas por gentes enajenadas (gobierno y gobernados) y gentes delirantes (en el contracto); en *Las guerras de nuestros antepasados*, la guerra-diálogo será la prueba de la falta de mutua comprensión, incluso cuando los personajes se proponen dialogar.

Es paradójico, creo, que se aclame como un triunfo la invención de máquinas de gran capacidad grabadora, pues grabar (resonar, reiterar) es lo característico del instrumento natural, la vaguada. Claro que las máquinas la superan (todo puede grabarse, lo grabado es conservable, cabe alterar su velocidad, mezclarlo con otro material, etcétera), pero no se distinguen de aquélla funcionalmente: fomentan la repetición y no el intercambio, el eco en vez del diálogo.

Presenciar un diálogo no es dialogar, sino asentir o diferir en privado, sin palabras audibles; quizá sentir algo de lo dicho como propio, algo como ajeno, y, crucialmente, todo como cosa de otros. La injerencia de un tercero en el diálogo lo convierte en conversación. Por otra parte, la pérdida de la conversación, sobre todo entre quien manda y quien obedece, ha impulsado la aparición de medios que la simulen; la tecnología audiovisual (radio, cine, discos, televisión y selectavisión) hace tentadora la participación vicaria en los diálogos de otros, con frecuencia meras representaciones. La sociedad del siglo XIX disimulaba sus injusticias bajo espléndidas apariencias; la contemporánea, con la alienadora artificialidad de «la comunicación». El lenguaje, casi diría la charlatanería, envuelve y acosa al oyente, pero las voces suenan remotas, procedentes de mecanismos encaminados a persuadir, a forzar actitudes. La comunicación es una falacia y el contacto con la prensa y la televisión sugiere que, en vez del diálogo, lo que realmente existe entre voz y oído es la pasividad del receptor. Las voces y los rostros audibles y visibles en el televisor acaso seducen momentáneamente, pero a la larga corrompen. Las modernas técnicas de infiltración y manipulación mental sólo difieren en la forma de las desplegadas en la sociedad de don Abdón: Darío Esteban «dispone de una variedad infinita de registros de voz» (página 20), aunque carece, en su acaparamiento de registros, de tono personal, de la voz que expresa un alma.

Delibes presenta un mundo técnicamente adelantado, en donde los personajes han abdicado de la expresión individual y viven en lo equívoco, que ya se ha visto cómo influye en ellos. Las consecuencias de un mínimo intento de protesta, creando un sistema de comunicación distinto del autorizado, da lugar a la parábola; el fracaso explica el refugio en lo onomatopéyico, en la «reserva» del lenguaje en que el personaje cree encontrar cierta coherencia entre signo y referente, sonidos de identificación clara y de representación lingüística inequívoca; un mundo puramente vocal, libre de la corrupción de las voces artificiales.

La preparación narrativa para tratar de este mundo es cuidadosa. Así como progresivamente se fue poniendo en duda el signo (concentrándose el proceso en el ejemplo de la letra «o»), se establece ahora con consistencia notable la predicación literal de cada expresión onomatopéyica, de modo que cuando los sonidos naturales invaden el texto, no parece ni forzado ni truculento, y sí expresivo y adecuado: ha llegado el momento de lo vocal. He aquí algunos ejemplos de expresiones onomatopéyicas incluidas en la narración antes de que Jacinto abdique definitivamente de la palabra:

1) «el murmullo de los rápidos del río erosionando las piedras, chuap-chuap»

(p. 70)

2) «Los silbidos de los mirlos, chinc-chinc-chinc»

(p. 70)

3) «la eclosión de la pollada, piu-piu-piú-choqui-choqui»

(p. 70)

4) «el zureo de las tórtolas en la pinada, currurr»

(p. 70)

5) «Jacinto inspira el aire, lenta, dosificadamente, y va expulsándolo en siseos entrecortados, pssssst-pssssst»

(p. 36)

6) «Jacinto emitía un silbido especial [a los pájaros], bic-biiiiiiii-bi»

(p. 45)

7) «La tierra embebe el agua con un siseo árido y sedante, fssssssst, como de combustión»

(p. 47)

8) «los conciertos esporádicos de mirlos, chinc-chinc-chinc»

(p. 48)

9) «Pero no es el dolor lo que le despierta (cree) sino la algarabía, piu-piu-trui-trui-chec-chec, de gorjeos, trinos y graznidos que penetran a través de los cristales de las ventanas.»

(p. 92)

En estos ejemplos (y hay muchos más) se advierte la exactitud con que Delibes describe los sonidos; de modo sistemático los graba en la letra, representándolos en combinaciones inventadas por él. Nada es equívoco: el lector sabe siempre lo que la onomatopeya imita, de manera que lejos de extrañarle, le familiariza con la riqueza quizá ignorada del mundo natural. Hay cierta ironía en esta práctica; el narrador había aclarado algo, poniéndolo entre paréntesis, y el antecedente no solía necesitar «aclaración», sino reafirmación, dentro de los miasmas de lo equívoco; luego aclara la expresión onomatopéyica por necesidad, mencionando lo que ésta reproduce, ya sin paréntesis. El equilibrio estilístico es original y contribuye a la eficacia total de la prosa en *Parábola del náufrago*.

El acortamiento de las expresiones vocales emitidas en la vaguada recuerda al lector que tal fue una característica del contracto: la naturaleza, como la mente, acorta. Y la literalidad de la operación natural restaura el equilibrio perdido por lo arbitrario de las abreviaturas en el contracto y por lo superfluo de las aclaraciones. Aunque el discurso parece haberse desviado de la expresividad, en realidad no es así; ha recuperado —eso es todo— dos funciones hasta entonces perdidas.

Curiosamente, la recuperación de esas funciones, literalmente necesarias para la comprensión del texto, se acentúa en las páginas dedicadas a la metáfora central de la novela, el naufragio. Cuando Jacinto «bracea» en «aquel mar vegetal» (p. 245), es decir, cuando lucha desaforadamente contra el agresivo seto, los sistemas lingüísticos activos hasta entonces entran en colisión y se produce un maremágnum que resiste el análisis por lo intenso y concentrado de los elementos integrantes del estilo con que se describe la agonía del hablante. Desde la página 145, cuando con toda su alma Jacinto chilla «¡malditos!» y descubre que su voz le da alientos y repite «¡malditos!», y la vaguada le responde «¡itos!», hasta la página 189, cuando la batalla se da por perdida, el verbalizante es incontenible. Todos los aspectos del lenguaje elaborados para mostrar algo concreto se entrecruzan, entrando y saliendo del texto vertiginosamente, sin más contexto que la desesperación de Jacinto. El narrador describe con asombrosa perspicacia el colapso del lenguaje:

Es quizá, hoy por hoy, el único hombre en el mundo que no tiene más que una palabra que decir, «entendámonos», y, por tanto, piensa (Jacinto) que la Torre de Babel podría ser la solución porque «entendámonos» es una palabra que puede decirse incluso sin pronunciarse, por señas, y ésta es la razón para que funde su movimiento «Por la Mudez a la Paz», mas, al hacerlo (al fundar el movimiento), comprueba que no es lo mismo callar que hablar sin que a uno le comprendan, que parecerá lo mismo pero no es lo mismo, ya que el hombre no es un animal racional, o si lo es («vamos a admitirlo», piensa Jacinto), sobre esta cualidad predomina la condición de animal parlante, esto es, necesita (el hombre) decir cosas aunque no las razone, precisa (el hombre) descongestionarse, simular que razona (el hombre) aunque sea partiendo de premisas falaces, y cuanto mejor lo simule (que razona) más satisfecho queda (el hombre) de sí mismo, aunque sea a costa de desportillar, difamar o engañar al prójimo, que esto es secundario, puesto que lo esencial es descongestionarse (la caridad bien entendida empieza por uno mismo), y por ello Jacinto es una lastimosa excepción, un hombre (entre miles de millones de hombres) sin nada que decir (excepto, como dicho queda, «entendámonos») y por eso (porque no tiene nada que decir) calla y si en el Refectorio los compañeros hablan de deportes y discuten apasionadamente sobre si el cerrojo ha matado o no al fútbol espectáculo, él (Jacinto) enmudece y únicamente si la discrepancia sube de temperatura, finge que mete baza por no desairarles (a los compañeros), para no mostrar indiferencia ante las preocupaciones ajenas, pero es lo mismo que cuando simula cantar (si es que mete baza) y sólo dice y repite hasta la exasperación: «Pues yo digo que el cerrojo, pues yo digo que el cerrojo, pues yo digo que el cerrojo», hasta la exasperación, como un autómata, eso sí, a voces, aparentando un ardor que anda muy lejos de sentir, pero como el tumulto es grande, nadie le oye, únicamente es patente su combatividad y Jacinto, una y otra vez, trata de fingir que dice algo, pero en rigor no dice nada (como todos) más que «pues yo digo que el cerrojo, pues yo digo que el cerrojo, pues yo digo que el cerrojo», por no parecer mudo o tonto, ni desentonar, ni evidenciar que desconoce el idioma de sus compañeros, pero una mañana que él (Jacinto) terció en una discusión donde media docena de compañeros hablaban a la vez, «pues yo digo que el cerrojo, pues yo digo que el cerrojo, pues yo digo que el cerrojo», súbitamente se hizo el silencio y tan sólo se oyó su voz.

(pp. 160-162)

Recurren, cual motivos, los emblemas del dilema: el ser confundido y mal representado por el lenguaje (el hombre); el empeño en querer comprender y ser comprendido («entendámonos»), la hostilidad e incomprensión del diálogo humano («Pues yo digo que el cerrojo»...). Enumerar y detallar la sustancia de estas páginas (145 a 189) alargaría demasiado el comentario. No es fácil resumir fríamente un colapso de dimensiones realmente aterradoras, ya que la pérdida del lenguaje es la pérdida del hombre. La situación del personaje —«solitario a su pesar», según dice el autor en otra ocasión para explicar cómo son las figuras de su ficción— exige, más que un recuento de técnicas, una breve meditación. La conclusión de Jacinto sobre la esencia de la comunicación, la voz y el lenguaje se lee en otra reflexión suya, en que el tú narrativo resulta muy convincente:

*y si gritas va a ser lo mismo que si silbas, un ruido más, porque si el mundo está sordo de nada vale dar voces, y si el mundo está ciego nadie podrá leer tus mensajes, Jacinto, que es preferible que te hagas a la idea desde un principio y te pongas en la realidad.*

(subrayado del original; p. 189)

De las equivalencias «obvias» de la primera página, hemos pasado a otras aterradoras: la voz humana = un ruido cualquiera; los mensajes emitidos = materia sin sentido. A la vista de esta conclusión, no sorprende que el lenguaje onomatopéyico sea el único factible: graba los ruidos del mundo sin atribuirles otro sentido que el del sonido. Se desechan las palabras, o palas, y en su lugar volarán palomas, o «palas mensajas» (p. 192). La progresión de las significaciones es estimulante. En lugar de una palabra-pala (instrumento agresivo), la palabra-palá (paloma, símbolo de la paz). Al descubrir la variación, el personaje se siente renacido: «¡Eso sí!», chilla de pronto. «¡Una paloma mensajera!»; su cuerpo tiembla de excitación. «El problema es atraparlas», se dice. «¿Cómo cazar un pájaro?» (p. 192). Ideas, ya no las cazará.

Con esta pregunta concluirá la aventura y comenzará la inmersión en la animalidad. La euforia de la iniciación revela al autor-cazador atento a los sonidos de la naturaleza y capaz de imaginar las reacciones del animal en que se está convirtiendo Jacinto. Delicioso escape, la tormenta significativa se despeja por fin en el texto y se diluye en una armonía sensorial que propicia lo que parecía impensable: Jacinto empieza a sonreír.

la algarabía de pío-píos, bick-bicks, chec-checs, es realmente ensordecedora, mas a Jacinto aquel concierto intempestivo, el revuelo atolondrado que le rodea, le estimula y hace sonreír a sus labios exangües; y sus ojos azules, tanto tiempo ensombrecidos y reconcentrados, también sonríen, y sonríen, asimismo, los pelos de sus barbas y sus orejas y las aletillas de la nariz, todo sonríe en él (en Jacinto).

(pp. 199-200)

En este ambiente de paz caza pájaros para utilizarlos como mensajeros y, toque irónico, escribe no *un* mensaje sino, para empezar, cincuenta, como buen sumador que fue. La operación de atarlos le rinde: es su última hazaña, ¿verbal?

El vacío verbal

Con la frustración del último intento comunicativo (los pájaros revolotean en vez de partir hacia un destinatario, del mismo modo que los ceros y las palabras de antes en vez de sumarse a algo y llegar a alguien produjeron mareo y maremágnum), el personaje se ve forzado de nuevo a defenderse contra la «prodigiosa exuberancia del seto» (página 208). Pero ya no es «él» quien sostiene la guerra, sino su figura metamorfoseada, a mitad de camino entre el hombre y el animal: «se mira al espejo y no se reconoce, el pelo y las barbas blancos y ensortijados, de una densidad pilosa desconcertante, como vedijas» (p. 206). Emergen recuerdos relampagueantes de su vida anterior, pero ya la transmisión de los pensamientos indica en su incoherencia un cerebro averiado que como disco rayado repite ciertas imágenes confusas, algunas frases y gritos («¡Bucee un poco, don Abdón!»), consejos y preguntas del psiquiatra, etc. —todo fugaz y desordenado, hasta que Jacinto «intuye el fin»— (p. 212). El seto le invade en monstruoso acto posesivo, trepando primero por la cabina (realidad) y luego penetrándole por los orificios de su cuerpo (imaginación). Ahora se atiende más a los actos que a las palabras; cuando el hombre-borrego habla, se podría resumir lo dicho en un ruego: ¡Sálvame!, a lo que contesta negativamente el ruido de la avioneta y la mirada distante de Darío Esteban.

En su perplejidad, Jacinto vuelve al espejo y «se pregunta tontamente si lo suyo (su situación) es un homicidio, un suicidio o un asesinato vegetal» (p. 221), pero sus ojos «estupidizados» ya no le responden:

> Inopinadamente descarga el puño sobre el cristal, que se quiebra en mil pedazos:
> —*¡Te han suicidado, jacinto!* —chilla.
>
> (p. 222)

Hasta la definición de su muerte es equívoca. El trato que a partir de ese momento recibe de los médicos subraya la animalidad; Darío Esteban le considera un «espléndido semental».

¿La contestación de Jacinto? Cuando trata de hablar, sólo le sale un balido, «¡Beeeeeeeeée!», con el que entra en diálogo perfecto con la naturaleza; la vaguada, sin acortar, es un espejo, y reproduce, como antes el otro reflejara sus complejidades, el sonido corderil.

Con este balido final queda borrado el largo desarrollo y deterioro lingüístico. La tremenda potencialidad expresiva del personaje ha mermado hasta quedar en la mínima capacidad emisora. Donde leímos palabras que engendraron conceptos expresados a través de signos variables y complicados, ahora sólo se oyen sonidos. Fracasados el habla y el diálogo, la emisión bruta los sustituye. No deja de chocar que esa emisión coincida con lo más avanzado de la tecnología en cuanto repetición de una materia sonora. El distanciamiento espacial entre emisión y eco es mucho mayor en los medios técnicos (radio, televisión), pero lo mecánico de la respuesta que se espera obtener la asocia, siquiera metafóricamente, a la resonancia de las palabras de Jacinto en la vaguada.

Como una exposición de la futuridad dudosa del lenguaje, *Parábola del náufrago* es el contrapunto de la obrita que estudiaremos a continuación, *El príncipe destronado*, en donde el personaje niño, en plena inocencia, vive en trance de adquirir el lenguaje. La misma materia que en *Parábola* se deteriora, en *El príncipe* entra en frescas oleadas. El novelista que enfoca lo gastado de la materia lingüística en *Parábola*, expondrá en *El príncipe* las complejidades de esa misma materia en una conciencia infantil y la vitalidad de su absorción por un cerebro que descubre en el lenguaje un medio más eficiente de comunicación. Si Jacinto pasó del pensamiento al ruido, el pequeño «príncipe» irá de los sonidos al verbo. Por lo cual puede decirse una vez más, pensando en estas dos obras, en apariencia tan distintas, que los extremos se tocan.

# CAPITULO IV

## EL UMBRAL DE LA EXPRESION:
### *EL PRINCIPE DESTRONADO*

Escrita en 1963, esta novelita antecede a *Parábola del náufrago*. La estudio en este capítulo no por ser publicada después (1973), sino porque me pareció conveniente exponer como trasfondo del análisis una noción del concepto autorial del lenguaje. Las tres novelas examinadas preparan a la lectura de ésta porque muestran cristalizados varios modelos lingüísticos, mientras que en *El príncipe destronado* se considera la formación de un modelo. El problema es ver cómo va aprendiendo el lenguaje y entendiendo el mundo un niño de tres años, problema tanto más significativo cuanto mejor sepamos cómo el autor ha tratado en sus novelas los aspectos de la escritura: habla, léxico, modismos, futuridad, la invención de un idioma, el lenguaje como moldeador de creencias, etc. Se cuenta así con un marco de referencia en donde situar el aprendizaje del hablante, tema de estas páginas y cuya sencillez aparente no exige esfuerzos conceptuales, ni siquiera invita a ellos, como *Parábola del náufrago*. Ver cómo un ser humano vive la adquisición del lenguaje —de palabra en palabra, de concepto en concepto—, permite al lector asistir al funcionamiento de un cerebro infantil.

Son varios, seguramente, los sistemas epistemológicos apropiados para el estudio de *El príncipe destronado*. Vuelvo a elegir la lingüística como vía de acceso, si bien apuntando que la psicología infantil tal vez fuera mejor camino de aproximación, pues en el texto constan los datos fundamentales para que un especialista pudiera servirse de aquél como del informe redactado sobre un caso, un personaje en quien se ejemplifica el complejo aludido en el título. El novelista anticipa este tipo de acercamiento al incluir en la historia dos personajes —la tía Cuqui y el médico— que examinan la conducta del niño como evidencia de un «complejo»; y un tercer personaje, la Vito, intuye lo mismo, aunque articulándolo en palabras que ignoran toda ciencia, salvo la del corazón. Pero la obra es algo más que un «documento», y a ese algo me dirigiré al considerar la figura del protagonista.

Quisiera esbozar al paso los subtemas de interés para la crítica psicológica, porque la presentación cabal de esos subtemas es realmente ejemplar. He aquí el orden en que aparecen por primera vez.

1. El autocontrol de las funciones corporales.
2. La idea de la muerte en la experiencia y la imaginación.
3. El sexo como tabú.
4. La identidad sexual como apariencia y papel social.
5. La rivalidad entre hermanos.
6. El mundo exterior contra el mundo doméstico.
7. La capacidad transformadora de la imaginación (objetos y seres reales en la mente infantil).
8. Las funciones de la fantasía.
9. El juego como interacción social en el niño.
10. El mimetismo.
11. Los equívocos como constituyentes de la expresión verbal.
12. El aprendizaje y la educación: castigos y premios.

Naturalmente, el texto no es una presentación lineal de subtemas, sino un sistema donde asoman, desaparecen y vuelven a figurar, independientemente o en conjunción con otros, como partes de un todo artístico cuya lectura temática va ligada a las circunstancias de la ficción.

Se desarrollan los subtemas por la repetición, la modificación y la asociación con otros. Me limitaré a un ejemplo: el del mimetismo en la imaginación del niño de lo observado en las personas mayores; es un proceso constante, y el narrador lo describe bien cuando refiere la reacción de Quico al ver que Santines se ha hecho daño:

[...] el cajón topó impensadamente con una baldosa desnivelada, coleó y atrapó dos dedos de Santines contra el enrejado. El chico se llevó instintivamente la mano dañada a la boca y dijo con rabia:

—¡Leche, me pillé!

Quico le miraba atentamente, poniendo el mismo gesto de dolor que veía en la cara del otro y cuando Santines se frotó los dedos lesionados contra el delantalón gris, él lo hizo también contra las blandas estrías de su pantalón de pana, aunque en forma apenas perceptible.

(p. 35)

Una exclamación interjeccional, una cara y un gesto le bastan al niño para sentir el dolor del otro. Siendo una criatura sensible, detecta lo mimético en su hermanita, en otra ocasión:

Entró la Domi en el comedor con la niña en brazos. La sostuvo un rato en alto:
—Di adiós a papá y mamá, hija. Diles adiós.
Cris movió torpemente los deditos de la mano derecha. Dijo Quico:
—Hace con la mano como la Vito, ¿verdad, mamá?
Mamá le aplastó la cabeza contra el plato:
—Vamos, come y calla. ¡Dios mío, qué niño!

(p. 67)

Lejos de interesarle a Mamá, la observación le impacienta. El mimetismo inconsciente (querer matar porque Juan, que es mayor, finge matar, porque Papá mató a muchos en la guerra...) es patético y enternecedor a la vez; sin entender las consecuencias de sus actos, el niño se estrena en acciones tremendas; descarga su rabia y sus instintos agresivos. Quico llega a repetir a la criada la admonición que ella, para encarrilarle, le echa («¡Te voy a cortar el pito!»), anunciándole: «Me voy a cortar el pito» (p. 103), a lo mejor para llamar la atención de la familia, perdida para él desde el nacimiento de la hermanita. Basta oír su imitación del lenguaje de los adultos para darse cuenta de lo violento que éste puede ser, y de cómo la fantasía infantil no opera en el vacío... Como el niño no distingue entre lo metafórico y lo literal, la admonición puede generar en su mente cualquier cosa.

El otro lado del mimetismo, la representación del adulto en el niño, es encantador y fundamental para la asimilación del modelo que el niño podrá un día aceptar o rechazar. La escena de Quico pintándole la cara a Cris «como a Mamá», es preciosa. Y claro está que la inclinación mimética se da todavía en los adolescentes y preadolescentes: Merche tiene «unos ademanes de incipiente coquetería, vagamente estudiados» (p. 55).

Cada subtema se presta a comentario y análisis, pero no es mi propósito hacerlo. Conste nada más que el material novelesco permite comprobar la presencia de ciertos subtemas y su funcionamiento en el niño, dando al retrato una complejidad que lo hace parecer auténtico.

Volviendo a nuestro propósito central: examinar los aspectos lingüísticos de esta novela, diré que la palabra «lenguaje» implica en *El príncipe destronado* un sistema de signos de los que sólo algunos son verbales; la semiótica debe acompañar a la lingüística. Como indica Craig Owens en un artículo reciente, los lingüistas estructuralistas, siguiendo a Ferdinand de Saussure, hacen «una distinción rigurosa entre forma (lingüística) y sustancia (fónica)» [1]. Una capacidad limitada para manejar el lenguaje verbal (la del niño) produce una percepción aguda de esta distinción: el habla empieza como pura articulación, como sonidos que «no hacen sentido». Pronto se reconoce el esfuerzo del hablante por hacerse entender, por hacer sentido. La novelita de Delibes muestra cómo se van integrando en una mente infantil la forma y la sustancia, la conciencia de un mensaje y la articulación pura; nos da una ejemplificación a lo vivo de la teoría saussuriana del hecho lingüístico:

The linguistic fact can therefore be pictured in its totality —i.e. language— as a series of contiguous subdivisions marked off on both the indefinite plane of jumbled ideas... and the equally vague plane of sounds...

Durante su adquisición del idioma, el protagonista se concentra en lo que puede, y quedan excluidos de sus intentos primerizos algunos elementos constituyentes del término «lenguaje», según lo entendería un hablante adulto. Debido a este hecho y a la importancia de las sensaciones auditivas como vía expresiva y comunicativa, hay que considerar marginales o remotas las funciones del lenguaje que no operan aún en el mundo del niño: el lenguaje escrito, la lectura, la capacidad de formar metalenguajes, etc.

[1] «Detachment from the Parergon», en *October*, n.º 9, verano de 1979, p. 49.

El haber borrado una perspectiva adulta del lenguaje y del mundo novelesco con el fin de captar la intimidad del personaje es el mejor logro de esta obra, ajustada con asombrosa exactitud al nivel del pequeño protagonista. Quedan podados del texto (y los diez años entre la composición y la publicación sugieren que las correcciones pudieran haber sido grandes) casi todos los «despojos» de la psicología adulta. El resultado es sumergir al lector en un ambiente que pertenece ante todo a Quico. La ironía es suave, pues justamente el mal entendido, el «destronado», recupera en el arte su posición central: él, y no la hermanita Cris, protagoniza la obra.

Ya que el niñito es el eje en torno al cual gira la acción, la obra registra un tiempo, ritmo y espacio que son suyos. La acción dura once horas, las correspondientes a un día normal de Quico, desde las diez de la mañana hasta las nueve de la noche, un fragmento de tiempo que parece largo porque la energía del personajillo no mengua durante todo el día. El ritmo es uniforme: siempre se está cambiando de actividad, pero no deja de haberla, e intensa, en lo que cabe. Que cada capítulo empiece «a la hora» (llamándose «10», «11», etc.) impone cierto ímpetu, pues el ritmo del reloj acompaña la marcha ligera de los niños en la casa; ellos, como las manecillas del reloj, no paran.

El espacio, reducido a unas habitaciones de la casa —salvo en las dos salidas del niño a la calle— es también restringido, pero por ser visto desde ojos infantiles, parece enorme. El ejercicio de la fantasía sobre los objetos cotidianos y las variadas metamorfosis de éstos durante el día adensa y complica lo que en un contexto más realista, y visto con otros ojos, parecería poca cosa. La pequeñez del protagonista, un centro de conciencia, convierte en grande cuanto ya no lo es para un adulto. Entre lo materialmente grande y la acción amplificadora de la fantasía, que a un mundo real superpone muchos mundos, el espacio novelesco adquiere sustancia y dimensión peculiares. Las salidas a la tienda y luego al consultorio del médico importan relativamente poco. El escenario es doméstico y contiene en sí un mundo en miniatura, con un horizonte abierto, el de la fantasía. Se le ofrecen al niño tantos puntos de referencia, partida y vuelta bajo el techo familiar, que la vastedad del mundo exterior (conocido sólo por el adulto, además) es para él innecesaria y, claro, inaceptable aún.

Otros elementos manejados por el narrador a fin de instalarse en una perspectiva infantil son: la alternación entre diálogo y descripción (de consistencia tan diferente), el modo de nombrar a los demás personajes y el hincapié en lo auditivo. Comentaré estas cuestiones, ya que en ellas se observan aspectos lingüísticos muy destacables. Sin su inserción en un tiempo y en un espacio especialmente concebidos para situar en ellos a un niño de tres años, en las circunstancias personales de Quico, aquellos elementos posiblemente causarían distintos efectos. (Esta es cuestión que no planteo, ya que no estudio la estructura de la novela.)

Rara vez se aleja el narrador del curso que desde el comienzo sigue. El discurso narrativo lo califico de «naïve» por su deliberada restricción a las percepciones del inocente, y me pregunto por qué se aparta, en alguna ocasión, de este «modo». Tal vez para añadir peso, sustancia e imagen a la perspectiva infantil de que hace un momento hablaba. Ciertos detalles se graban en la memoria antes de que alcancemos a entender su significado (incluso en la vida adulta), y posiblemente reverberan luego. En todo caso, encuentro cinco casos de intervención, no sé si decir extemporánea, del narrador, y creo conveniente comentarlos, porque en ellos veo la injerencia de lo «adulto» en lo infantil, es decir, las excepciones a la regla.

El capítulo relativo a lo ocurrido a las «3» de la tarde presenta el primer supuesto: «Mamá se sentó en la butaca, frente a Papá, separados por la mesita enana con los *Paris-Match* y el cenicero verde, de Murano, a través del cual se veía el invierno» (p. 71). Los mayores vistos entre sus cosas no proponen una imagen de la *vie en rose*, sino de *la vie en bourgeoisie;* los objetos simbolizan esa vida y el narrador, al destacar líneas después la bandeja de plata y «el azucarero, de plata también, con dos serpientes enroscadas como asas», recalca con la selección de detalles una visión de la vida mesocrática como lujosa, cómoda y agridulce; la figura de la criada («las manos, de dedos engarfiados») se relaciona extrañamente con el azucarero. Quizá mi lectura imponga algo ausente del texto, pero el pasaje me parece una desviación de la descripción «normal» de esta novela; el tono y la sofisticación del detalle simbólico lo singularizan. A veces una comparación delata el tipo de conocimiento fundado en la experiencia de que el niño necesariamente carece. El símil delata la presencia del narrador: «Mamá era tan fina de olfato como un sabueso» (p. 98). Tal vez la pluma del escritor no puede menos de ceder a la simetría estilística: «Quico salió de la cocina cariacontecido y cuando cerró la puerta, la señora Marquesa [la voz en la radio] cerró la boca» (p. 124). La intervención del narrador agudiza la expresión al añadir un término comparativo desconocido (sabueso), o dramatiza el orden temporal (el cerrar simultáneo, de la puerta y de la boca); también sirve para comunicar la vividez de algo. Conociendo la preocupación del autor por la palabra exacta, no sorprende que su narrador se aplique con brío a enumerar los objetos encontrados por los niños en el armarito del cuarto de baño. Su intervención, en este caso, es resueltamente artística:

Había allí unas tijeras con las puntas arqueadas, un curlas, tres barras de labios, dos polveras, un desinfectante de la boca, un rollo de algodón, la botella de alcohol, seis cepillos de dientes —blanco, transparente, amarillo, azul, rojo y caramelo—, un cartón de horquillas, una jeringa, un cuentagotas, una caja de microsupos sedantes, una lima de uñas, un frasco de gotas para la nariz, un pulverizador, dos peras de goma, un jabón, dos rollos de vendas, una docena de rulos de plástico blando para el pelo, un cepillo de uñas, otro de cabeza, un espejo redondo; tubos de maquillaje, endurecedor de uñas, crema limpiadora y crema nutritiva; frascos de colonia, mercurocromo y sales de fruta; rímel, dos peines —negro y blanco—, laca, tres lápices —negro, verde y azul— para los ojos, un termómetro en su estuche metálico, una cajita plateada de chinchetas y un tubo azul claro de pomada antihemorroidal. A Quico se le hizo la boca agua:
—Cuántas cosas, ¿eh, Cris?

(pp. 118-119)

El admirativo «cuántas cosas» del pequeño hablante resume la detallada enumeración del narrador adulto que posee el léxico necesario para decir lo que es y cómo se llama cada uno de aquellos objetos. La cadena enumerativa pone ante el lector el detalle de las cosas que por su variedad y por su cuantía producirán en Quico la emoción del descubrimiento. Hay cierta defamiliarización aquí, pues el narrador nombra lo que para el adulto no suelen ser más que las cosillas del baño, y en la enumeración las recupera del montón confuso. Que hay una «técnica objetivista», también es cierto.

Dos de las intervenciones del narrador parecen un poco gratuitas, y a diferencia de las tres anteriores, no añaden al mundo novelesco una visión adulta necesaria, o complementaria, de la del niño. El gigantesco cartelón del teatro Quevedo que vería el personajito al pasar en automóvil parece encajar en la descripción de lo visto, pero la inclusión del título destacado en el cartelón tal vez es superflua, ya que si las letras interesan al niño, todavía es incapaz de descifrarlas. Otra injerencia prescindible ocurre en la página 146, y consiste en una comparación (pero diferente de la comentada sobre el sabueso, en que el narrador aportaba un término útil para indicar la intensidad de la percepción de Quico), o más bien en una asociación simbólica vinculante de una situación (el niño echando una bola de espárragos, pues no quiere comerlos) a una emoción (la congoja de Mamá producida por su pelea con Papá). La analogía es aceptable, desde el punto de vista adulto, pero dudo que pueda pensarse que el protagonista fuera capaz de sentirla.

### Diálogo y descripción

Generalmente, este discurso narrativo no se caracteriza por tales leves excepciones (y aun quizá estoy equivocada al calificarlas así), sino por su sorprendente consistencia sencilla. ¿Cómo se logra? El trasplante psicológico ha sido una operación atrayente desde que el hombre empezó a mostrar su capacidad para crear imaginariamente a otro y a lo otro. Cuando el novelista inventa las figuras ficticias les atribuye un ser y para lograrlo ha de concebir una psicología que explique su conducta. Vimos antes cómo el narrador hizo suyos el tiempo, el ritmo y el espacio de la infancia; cómo se situó en una perspectiva, esforzándose en ser fiel con su palabra a las percepciones de la conciencia infantil, y en hallar maneras de establecer comparaciones adecuadas para la transmisión de lo sentido por el personaje. Falta aún ver cómo maneja la transmisión directa de éste.

El diálogo puede exponer directamente lo que la descripción insinúa; en *El príncipe destronado* enfrenta al lector con lo que el niño dice en su propio lenguaje. Reproducir el habla infantil requiere un oído agudo, y construir diálogos entre niños sólo le es posible a quien tenga, además, dotes de observación y aptitudes para la reelaboración de escenas y escenarios. El habla de las personas mayores transmite saberes que no pueden darse en la de los niños; de ahí que al recrearse haya que suprimir mucho de lo que el narrador da por supuesto y, en cambio, incorporar algo de lo olvidado por el adulto. Los rasgos lingüísticos del diálogo infantil vistos por el autor son, entre otros:

1. Importancia de la función fática.
2. Tendencia a la interrogación.
3. Tendencia a la exclamación.
4. Brevedad de las frases.
5. Uso del anacoluto.
6. Uso frecuente de la conjunción «y».
7. Valor dramático de vocablos recién adquiridos.
8. Repetición de versos y canciones.
9. Expresiones obscenas.
10. Intento de incorporar lo metafórico a lo literal.
11. Combinación de lo verbal y lo averbal.
12. Risa en el habla.
13. Lenguajes librescos como modelos ideales.

Despertar al idioma es emprender una aventura, y *El príncipe destronado* graba la emoción implícita en ella. En la siguiente muestra anoto los rasgos 1, 2, 3, 4 y 6 de la lista precedente; al mismo tiempo se advierte en el diálogo la excitación del niño al contar los minúsculos sucesos de que habla:

—¡Jobar, cómo le han calentado!              1, 3
—¿Por repasarse? —preguntó ella.             2
—¡Qué va! —dijo Juan.
Quico abandonó el rincón. Dijo:
—No me he hecho pis en la cama, andaaa.
Merche sonreía, incrédula:
—Sí, es verdad —aclaró Juan—. No se ha hecho pis en      4
la cama.
Del pasillo llegaba un leve, estimulante olor a cocina. Entró Marcos lanzando la cartera al alto y blocándola, al caer, como un guardameta.

—¡Marcos! —chilló Quico—. ¡Se ha muerto el gato de doña Paulina!

—¿Ah, sí?

—Sí, y la Loren le tiró a la basura y el demonio le llevó al infierno y lo vio Juan y luego vino una bruja... **6**

(p. 55)

En la página 81 hay ejemplos de los rasgos 8, 12 y 13 de la misma relación:

> Quico entró en el cuarto de baño rosa, forcejeó un rato, se levantó una pernera y orinó. Reía a la nada y al hacerlo **12** canturreaba: «Están bonitas por fuera, están riquitas por **8** dentro.» Al concluir regresó junto a su hermano. Juan le gritó apuntándole con la escopeta:
> —¡Alto! Voy a tener el gusto de meterte un plomo entre las dos cejas, amiguito. **13**
> Quico sonreía sin entenderle. Añadió Juan:
> —Tú tienes que levantar las manos, Quico.
> [...]
> —¡Pum!
> —No —dijo Juan—. Di antes: «Toma, canalla.»
> —Toma, canalla —dijo Quico.
> —No —agregó Juan—, luego dices: «¡Pum!»

Las dos líneas («Están bonitas...», etc.) de una canción infantil se repiten a lo largo de la novela, sugiriendo un levísimo fondo musical. La sonrisa y la risa acompañan el habla. La imitación de un lenguaje literario —siquiera sea de ínfima calidad— practicada por Juan y enseñada por él a Quico, muestra que la lengua no es sólo para comunicar, sino también para escapar a mundos en donde la gente vive y habla de manera exótica.

En las conversaciones entre Quico y Juan se observa la curiosidad del menor por aclarar la significación de las palabras que ignora. Viendo la televisión en casa de la tía Cuqui, Quico quiere entenderlo todo:

> El Conejo y Porky entraban en el despacho del Jefe y el Jefe les decía:
> —Hay una entrega para la calle de Quincalleros.
> Quico pestañeó:
> —¿Qué es entrega, Juan?
> —Calla.
> —El Conejo y Porky salieron a la calle con el paquete.
> —¡Jobar, cómo corre el Conejo, Juan!

Dijo Juan:
—Es que si lo lleva antes de diez minutos le dan cinco dólares.
—¿Qué es dólares, Juan?
—Pesetas.
—Ah.

(p. 151)

El hermano mayor facilita las aclaraciones pedidas por el hermanito, cuya curiosidad no cesa. En otras conversaciones hace a Juan preguntas de respuesta más complicada; quiere incorporar a su mundo expresiones metafóricas y obscenas que ha oído para saber a qué atenerse:

—Juan —dijo.
—¿Qué?
—¿Qué es puñeta?        9
—¿Puñeta?
—Sí.
Juan adelantó mucho el labio inferior y metió la cabeza entre los hombros:
—No sé —confesó.
—Mamá dice que es un pecado.
Juan meditó unos segundos:
—Será el pito, a lo mejor —dijo al cabo.   10
—¿El pito? ¿Es pecado el pito, Juan?   2
—Sí, tocarle.
¿Y si te escuece? A mí me escuece si me repaso.
—Eso no sé —dijo Juan.

(p. 79)

Con humor delicado se transmite el candor, y se ilumina la confusión formada por la grosería, lo metafórico y aun por términos e ideas mal explicados al niño.

El valor dramático de un vocablo recién adquirido (# 7) se ve en Quico, pero se subraya más en el habla aún informe de Cris, cuya expresividad verbal gira en torno a una palabra-eje que gasta mucho: «a-ta-ta», secuencia silábica cuyas significaciones van ampliándose según se desarrolla la historia. Al relacionar a la niña con medios y personas diferentes, el narrador la ve como hablante incipiente, y señala cómo el esfuerzo para emitir un mensaje se mezcla con la articulación pura —¿práctica?—. Los mayores no prestan atención a lo que oyen de modo continuo, y es únicamente Quico quien pone de relieve ciertas cosas interesantes. La primera vez que se conecta la emisión de sonidos con una palabra concreta ocurre cuando el niño, en la cocina, oye decir a Cris: «A-ta-ta, atata» (página 26), y advierte a su madre «¡Dice patata! ¡Mamá, Cris ha dicho patata!» Su oído, como su vista, están siempre configurando la materia sensorial para encontrarle sentido; interpreta rápidamente a la hermanita, así como en unas gotas de leche, ve toda una escena, la playa a que van de veraneo:

Quico se encaramó en la butaquita de mimbre y, con el dedo, extendió sobre el sintasol las blancas gotas de leche. Ladeaba la cabeza como buscando una perspectiva y una vez que consiguió una madeja inextricable voceó gozosamente:
—¡Vito, Juan, San Sebas!
Juan arrojó el tebeo al suelo y se acercó a él desganado. Miró el jeroglífico, frunciendo el ceño y dijo despectivamente:
—¿Es la playa eso?

(p. 25)

Este pasaje es emblemático del esfuerzo artístico realizado al escribir *El príncipe destronado*, que pretende ser fiel a esa «playa» de Quico y hacerla interesante para el lector.

Juan, a su vez, da figuración a las cosas, pero su materia es literaria, y Quico no la entiende excepto cuando le invita a jugar con él y se la explica. Todos, de hecho, están siempre configurando algo, un algo que suele ser personal y de cuyo conocimiento quedan excluidos los demás. Al mostrar el ambiente de la casa, el autor roza el tema de *Cinco horas con Mario:* la incomunicación. Tanto Mamá, con el nerviosismo de ama de casa abrumada y esposa enajenada, como la Vito (que tiene tan presentes a su novio y al continente africano como a quienes la rodean) y la Domi (menos clara como personaje), circulan en mundos privados, y en los cruces de éstos se halla a menudo el niño. Si espontáneamente da forma a las cosas, ve que lo mismo hacen los demás, y se interesa en la materia configurada cuando la distingue como tal. La materia remota o demasiado complicada está, en buena lógica, eliminada de la narración, que por esa limitación fluye a buen paso; el narrador no se detiene a contar toda una conversación entre Mamá y la tía Cuqui, por ejemplo; ni se empeña en sacar del niñito un informe sobre lo hecho en la cocina por la Vito y el Femio. A Mamá le importan los detalles, pero al niño le aburren; una vez que se cerciora de que «el mordisco» del Femio no dañó a la Vito, lo olvida. El desechar en la novela toda la materia que es inasequible a la comprensión del niño es una forma de respetar su perspectiva peculiar.

Adelantado como hablante en relación con su hermanita, Quico aún puede «entender» a Cris mejor que otros; las sílabas repetidas por ella no le parecen monótonas, sino a veces expresivas: «atito» querrá decir «poquito» (página 32) y «A-ta-ta», referida a un contexto que no es el aludido antes, le lleva a confirmar: «Sí, caca, caca, marrana» (p. 56). En cada situación los sonidos, suficientemente semejantes a como suenan las palabras, son descifrados correctamente por Quico, permitiendo así que se establezca una comunicación-adivinanza entre los dos menores. No siempre se trata de equiparar la secuencia silábica a una palabra concreta. El constante «a-ta-ta» se parece a una expresión onomatopéyica de los hermanos mayores, el «ta-ta-ta» de un rifle, que repiten bastante sin notar que Cris quizá quiera imitar el mismo sonido. Cuando juegan los tres y Cris es la presa, ella repite una y otra vez su única réplica, que es tanto autoafirmación en el juego como elemental mensaje: «Dijo Quico, ahuecando la voz: 'Cris, el coco.' —A-ta-ta— hizo la niña, atemorizada» (p. 118).

Las palabras y sus casi irreconocibles antecesoras, unas pocas secuencias silábicas, tienen gran valor para quienes cotidianamente van descubriéndolas y quieren hablar «bien»: de modo comprensible para los demás. Las maldiciones, o expresiones impropias, en vez del habla «correcta», tienen una especie de poder oscuro, como si llevaran una carga misteriosa y peligrosa. Delibes capta algo intensamente infantil al señalar cómo se dicen las palabrotas en la inocencia («¿Culo es pecado?», p. 16) o en la rabia, como cuando Quico cree injusta la regaña que recibe y exclama: «¡Mierda, cagao, culo!» (p. 99). Leyendo *El príncipe destronado* se advierte que el aprendiz de una lengua tiene mucho que asimilar antes de poder utilizarla como quiere, y también que importa averiguar el mecanismo de la denotación y la connotación, pues sin entender su funcionamiento no es posible entender, ni ser entendido. El autor dramatiza esta dificultad con «gasolina» (p. 54), «disco» (p. 72) y, más detalladamente, con «puñetas» (pp. 76, 79 y 88). (Para abreviar, me limito a registrar las páginas del volumen donde pueden verse los ejemplos.)

Los componentes lingüísticos de los diálogos contribuyen eficazmente a dar la sensación de ambiente infantil, y a ello coopera el ritmo entrecortado y caracterizado por la brevedad, tanto en la extensión de las frases como en la duración de las conversaciones, lo que es muy propio para mostrar la limitada capacidad de concentración del niño. Para pintar el movimiento y la actividad motora, el narrador se ve obligado a cortar el diálogo y a describir lo que hacen los pequeños, ya que no sería «verosímil» empeñarlos en diálogos artificialmente largos y tranquilos. (Que exista y funcione bien este artificio, con personajes adultos, y en muchas obras, es otra cuestión.) La alternación entre los básicos modos representativos del novelista —el diálogo y la descripción— viene dictada, pues, por el ritmo vital de sus criaturas. El contraste con la inmovilidad observable en *Cinco horas con Mario* es marcado, y demuestra una capacidad autorial para aligerar o alentar, extender o abreviar el habla, de acuerdo con las necesidades de cada obra.

Nombres de los personajes

El autor controla cuidadosamente el uso de los nombres de los personajes, como vimos en *Las ratas* y *Parábola del náufrago*. En una novelita centrada en la visión del mundo de un niño de tres años, los nombres han de ser simplificados para que el lector atribuya a cada quien la identidad que Quico les atribuye. Hay «Mamá» y «Papá»; los hermanos, llamados por nombre o diminutivo: Juan, Cris, Merche, Pablo; las criadas, a lo popular, abreviado y con artículo: la Vito y la Domi; a los visitantes se les conoce sólo por el nombre de pila o por el apodo: Santines y el Femio. Los apellidos no se incluyen porque en el mundo infantil ni hacen falta ni cuentan. Falta por completo el simbolismo en el sistema denominativo: es sencillo y nada literario. Así como el novelista se atiene, según observamos, a la brevedad dialogal, sin ir más allá de lo que los personajes (no él) quieren expresar, al poner los nombres, quiere igualmente restringirse a los exigidos por el centro de conciencia.

Lo que sí cuenta en el nombre es el epíteto discurrido por el niño y empleado por él como modo designativo de un personaje: las percepciones semifantásticas le llevan a concebir y a llamar al médico «el fantasma», así como durante un juego apasionante con los hermanos, Cris se convierte en «la presa». El nombre real, basado en alguna razón que el niño ignora, no tiene la significación que pudiera normalmente tener. Un nombre le puede parecer al niño arbitrario y sustituible por una designación más apropiada a las circunstancias en que percibe a la persona que lo lleva. Es de notar que el epíteto no pasa de ser circunstancial, pues suele responder a una actividad momentánea y no a la condición de la persona.

Al faltar los apellidos, algunos nombres de pila y el simbolismo autorial, la novela anima a una lectura en que cada ente sea visto desde el candor de quien los designa a su manera. Lo que leemos es la historia de un día cualquiera en la vida del niño y no un informe sobre el comportamiento infantil. Y en eso consiste la literaridad del libro: en la recreación gozosa de la materia viva, perfectamente compatible con los subentendidos que simultáneamente permiten la comprensión de la «psicología» de quien ante nosotros asiste a la primera «caída» de su existencia.

## HINCAPIÉ EN LO AUDITIVO

Si en *Las ratas* se recreó la plenitud del silencio campestre, puntualizado por sus propios sonidos, y en *Cinco horas con Mario* se estableció el contraste entre hablar y callar, en *Parábola del náufrago* el propósito, según se deduce del texto, se complicó al incluir el manejo de los materiales auditivos de otra manera: ¿de dónde procede el lenguaje narrativo?, ¿dónde está el interlocutor de los autodiálogos de Jacinto?, ¿adónde se fueron las voces de los seres metamorfoseados? Estos y otros interrogantes, con sólo enunciarlos, evocan el clima perturbador de una novela en la que todo es invención y pérdida del lenguaje. En *El príncipe destronado* se vuelve a la sencillez; la adquisición del lenguaje (y su representación) supone una determinada problemática, no exenta de complejidad, pero el personaje es sencillo, inocencia en estado casi puro, y esa sencillez imprime carácter a la obra.

La mezcla ya señalada de lo verbal y lo no verbal es un aspecto lingüístico importante aquí: los sonidos no verbales registran mensajes para quien todavía no maneja la palabra, y son los únicos que será capaz de comprender hasta el momento en que el idioma deje de parecerle un jeroglífico. La voz de «los otros» es parte de un sistema auditivo cuya expresividad es mayor que la del sistema verbal a que esa voz pertenece. Mamá proyecta sus mensajes en palabras, pero el mensaje recogido por los niños más chicos no es tanto lo que significa lo dicho como una interpretación de lo que acompaña la emisión: el tono, el ritmo, la distancia, el gesto, la circunstancia, el talante del hablante…, los matices, en suma. La semiótica demuestra lo variable del referente verbal en el oído del receptor, y si la comprensión depende, por la capacidad limitada del receptor, de lo transmitido por ese contexto, para describir su reacción habrá que describir lo que acompaña, *para él*, las palabras. Esto, lo sabemos intuitivamente, pues lo aprendimos en la infancia. Que lo olvidáramos al crecer, y que la perspectiva racionalizante de nuestra era técnica haga creer en la superioridad del mensaje «directo» (captable por el análisis y no por la intuición), es otra cuestión, que, por cierto, empieza a aflorar ahora en estudios basados en cierta decepción con las «metodologías» racionales. En los signos averbales y en la circunstancia se encuentra, pues, parte del mensaje, y para el niño, una parte decisiva. El hecho de hacer hincapié en todo esto prueba que el autor estuvo muy consciente del fenómeno. Mamá «habla» con su cuerpo: sus pisadas, su llorar y reír, su registro de voz. La atención prestada a esta expresividad es fina, y gracias a ella la figura es convincentemente real.

La vista, el tacto, el gusto y el olfato cuentan menos en las descripciones, y con razón; si a Mamá se la ve como «la bata de flores rosas y verdes», sin matizar más su aspecto (salvo para contrastarlo con la Mamá arreglada y pintada para Papá), es para indicar la distancia que media entre ella y Quico, nostálgico de la época en que le llevaba en brazos. La tía Cuqui, por el contrario, le devuelve la delicia de la suavidad. Su voz es «un hilito rojo, de tan fino y agudo» (p. 85); «hablaba bajo y como con música y sus besos no restallaban junto al oído» (p. 84); sentarse en su regazo es un recreo: «era suave y confortable como un edredón de plumas, y, entre sus brazos, se sentía increíblemente pequeño y protegido» (p. 84). El narrador se detiene a contar cómo reacciona Quico a la presencia de la tía:

> Tía Cuqui sabía tenerle en brazos sin que él se impacientase, sin que notara en los muslos las costuras del pantalón, sin asfixiarle. La voz de tía Cuqui le amansaba, le arrullaba, predisponiéndole al sueño y a ser infinitamente bueno y por los siglos de los siglos.
>
> (pp. 84-85)

Se recupera en estas descripciones la sensación de maternidad ausente en las descripciones de Mamá. Hasta el detalle más significativo del cuerpo materno, los pechos, es mencionado en relación con la tía Cuqui: «Quico acomodó la cabeza entre los frondosos, mollares pechos de tía Cuqui» (p. 85). Con la tía, Quico parece restaurado en su trono.

A la cercanía absorbente de la tía se opone la lejanía de Mamá, asociada, durante la visita de aquélla, a un ruido cortante: «las agujas metálicas, al entrechocar, hacían el mismo ruido que las tijeras de Fabián al cortarle el pelo» (p. 86). El contraste se remata con este detalle auditivo: «La voz de Mamá sonaba entreverada con el chasquido de las agujas» (p. 87). Se percibe la sensibilidad delibeana por lo suave y quedo, pues en *Cinco horas con Mario* un detalle parecido la dejó ver: los besos en el velatorio sonaban en el aire como «estallidos».

El sonido puede relacionarse con el movimiento: «El tintineo metálico de las agujas» marca el hablar de Mamá, mientras «al hablar tía Cuqui su pecho subía y bajaba, como si tuviera amortiguadores, y daba una resonancia especial que adormecía a Quico» (p. 87). A través de la recreación sensorial se rescata la intimidad perdida y se sugiere la felicidad.

Ciñéndome a lo auditivo, notaré que las voces y sonidos de la casa son complementados por otros ruidos, y la interrelación es curiosa. Después de ver en *Parábola del náufrago* la amenaza tecnológica, conforta encontrar en esta obrita una reconsideración de los aparatos mecánicos como meros juguetes: la radio, la televisión y el teléfono. El mundo novelesco recibe alegremente cuantas voces suenan, ya sean reales, ya de seres imaginarios, ya de seres ausentes. Al ambiente se incorporan como hablantes con pleno derecho los sonidos de la radio y la televisión; se escuchan historias, se oyen canciones, y el transistor manejado por las criadas es fuente de otras voces. (Un niño empieza por creer que dentro de la cajita viven los dueños de esas voces, así que es natural que los incorpore a su mundo.)

El narrador considera los aparatos mecánicos a nivel sensorial, sin entrar en explicaciones sobre lo que dicen, como si quisiera atenerse a describirlos según impresionan al niño. Unos ejemplos: «Una voz grave, henchida, dijo por el transistor» (p. 123), o: «Llegaba, muy acolchada, la voz de Hayley Mills cantando» (p. 148). La referencia fragmentada al funcionamiento de los aparatos —trozos suenan, se apagan— duplica las hechas a los diálogos, cortados o entrecortados, según oscile la atención de los hablantes, y el conjunto logra ofrecer el ambiente de un hogar contemporáneo, con insistencia particular en los sonidos.

*El príncipe destronado* es, en suma, una intensificación de lo infantil, tratado mediante las técnicas dramáticas y descriptivas que se han esbozado aquí, y haciendo hincapié en el aspecto auditivo del lenguaje y del escenario. Otra novela, *Las guerras de nuestros antepasados*, traerá una nueva concentración en el lenguaje hablado, pero con propósito muy distinto.

# CAPITULO V

# OTRA INVITACION AL SILENCIO
# Y LA VIOLENCIA DEL LENGUAJE INVASOR:
## *EL DISPUTADO VOTO DEL SEÑOR CAYO*

Si en *El príncipe destronado* sólo se llega a vislumbrar la influencia de los medios de comunicación en la vida ciudadana, en *El disputado voto del señor Cayo* esa influencia se subraya a cada paso y se la presenta como nociva. Dos ambientes contrastan, el político urbano y el apolítico rural, representados por dos personajes, el candidato moderno, progresista, y el viejo campesino, cuyo voto quiere obtener el primero. Para conseguirlo, tres miembros del Partido, entre ellos el candidato, visitan, en viaje de propaganda electoral, un pueblo pobre y casi despoblado donde encuentran al protagonista y conversan con él. Si ganan su voto es porque quienes al final llegan a disputárselo se muestran inclinados a una violencia que el personaje no puede aceptar. Con este sencillo argumento se construye una narración que, más bien relato que novela, permite reconocer de nuevo el credo delibeano: el lenguaje de la sociedad contemporánea prueba en sus fallos la corrupción y la mecanización del hombre; y sólo quien opta por la vida natural, es decir, por la vida del campo, podrá salvarse.

Para dramatizar la diferencia esencial entre la vida urbana y la rural, se enfocan ciertos aspectos distintivos de cada una: la masa alienada sometida a las retóricas de la «comunicación», frente al individuo trabajando en silencio y soledad; el profesional de la propaganda frente a quien trabaja con las manos; ruido frente a sonidos; palabras chocando con un obstinado callar. Tales contrastes no son nuevos en las novelas del autor, y en este caso la dialéctica estructural no parece haber logrado un producto de la misma calidad artística. ¿Será así?

Hasta el capítulo IV, la inventiva se mantiene, a mi juicio, por debajo del nivel a que Delibes nos tiene acostumbrados: tanto el habla de los personajes como el lenguaje del narrador parecen algo trillados; los personajes políticos, salvo Víctor, el candidato, son tipos más que individuos. Quizá esta manera reductiva de entrar en materia es apropiada para señalar la creciente insignificancia del hombre frente a la sociedad que lo rige. Al leer los primeros capítulos, el mecanicismo de la vida actual salta a la vista casi continuamente, a veces porque el narrador describe la puesta en marcha de algún aparato por la intervención del hombre o sin que nadie haya escogido relacionarse con la máquina (teléfono, automóvil...). Flotan en el aire emisiones publicitarias que acaso no logran destinatario, de manera que va constituyéndose un lenguaje «residual» en torno a los personajes y al narrador mismo.

El lenguaje residual, como las fibras de procedencia desconocida en las telas sintéticas, no se presta a la descripción. El autor, con su habitual oído atento, recoge lo que se oye, y si es aburrido, entrecortado, monótono o ininteligible, así lo graba. Aburrimiento, monotonía..., términos rara vez sugeridos por otras novelas de Delibes, sobre todo por las inmediatamente anteriores a ésta, caracterizadas por atraer fácilmente el interés del lector hacia el lenguaje.

*El diputado voto del señor Cayo* muestra los escombros de una democracia tecnologizada; el tono de la narración parece contagiado por el desengaño experimentado al vivir el autor un proceso político en el que la superficialidad y la insinceridad reinan, ayudadas por la deformación sistemática de los medios de comunicación. El trío democrático, Rafa, Laly y Víctor, es algo así como una figuración del señoritismo, la amargura y la melancolía, lo cual deja ver un vacío: faltan, para empezar, voluntad de sacrificio y autoridad. Energía renovadora, no la tienen, y Víctor reconoce que este fallo les será fatal. Situando a los personajes en la ciudad y luego en el campo, el autor hace ver que la crianza de los jóvenes entre máquinas ha afectado su manera de hablar y de escuchar. En vez de prestar oído a lo que «el prójimo» pudiera decir, encienden o apagan la radio, el televisor, el compañero mecánico, y el intercambio sostenido con él les ha contagiado su expresión verbal.

El punto que quisiera estudiar en el espacio dual de esta obra es la plaga del lenguaje insustancial, cuya proliferación está matando al lenguaje sustancioso. (En el curso del contraste entrarán cuestiones ya exploradas en otros capítulos: léxico, lenguaje narrativo, tipos de silencios, hablar opuesto a callar y escuchar, formas de la incomunicación y de la comunicación, denominación de los personajes, motivos lingüísticos, etc.)

## Lenguaje insustancial

Así como caminar rápidamente no es pasear, hablar con propósito político no es conversar, y bien se ve en esta novela, en donde los representantes del Partido se refieren al acto de hablar como «soltar el rollo» (p. 30), «tirar octavillas» (p. 35), «decir una chorrada» (p. 36) y «soltar la parida de costumbre» (p. 50). Estos modismos no tienen en sí nada de particular, porque lo mismo pueden referirse a quien suelta la lengua sin tasa y sin finalidad como a quien produce materia verbal para conseguir votos, como es el caso de los miembros del Partido, «portavoces» de su ideología, que se echan al campo equipados con los debidos discursos y repertorio de preguntas y respuestas. Tampoco es nada extraordinario describir la actividad política de este modo, ¿pues acaso no nos ha condicionado suficientemente la propaganda que asalta la intimidad de la casa en folletos u octavillas que entran por la puerta; en consignas, discursos, entrevistas oídas en televisión o por la radio, o hasta en consejos, recomendaciones y prevenciones facilitados por teléfono, en voz desconocida, pero empeñada en persuadirnos de que «ellos» son los mejores? Tan familiar ha llegado a ser la invasión del lenguaje político-comercial, productor de residuos (los aparatos se apagan, las misivas se tiran), que al abrir esta novela de Delibes el lector bien puede creer que ese «nada en particular» de que hablábamos es todo lo que encontrará en ella.

Pero hay una conceptualización artística, mezclada con la preocupación central del autor. Delibes muestra de nuevo que el lenguaje y la vida coexisten en estrecha unión, y que si ésta es vacía, aquél reflejará el hueco. Víctor es el único en darse cuenta cabal del hecho, y como portavoz del grupo lo resume así cerca del final:

—Increíble, Dani. El es como Dios, sabe hacerlo todo, así de fácil. Y ¿qué le hemos ido a ofrecer nosotros?, pregunto. Palabras, palabras y palabras... Es... es lo único que sabemos producir.

(p. 175)

Y las palabras producidas son insustanciales; como alimento poco nutritivo, llenan sin satisfacer. Ni entretienen, ni hacen entender (digerir) mejor, ni en muchas ocasiones llegan siquiera al destinatario: resbalan por su aburrimiento. Lanzadas al aire, caen sin arraigar o fertilizar. La metáfora de lo insustancial frente a lo sustancioso sugiere lo esencial en cuanto al funcionamiento del lenguaje en esta novela, y curiosamente las escenas principales pueden ser descritas con relación a la metáfora: los activistas políticos son una especie de enjambre, pero improductivo; no se espera miel de ellos; los mapas y los muros están «sembrados» (pp. 34, 35), pero de chinchetas y propaganda, mientras la huerta del señor Cayo lo está de alimentos sustanciosos, como su palabra; la casa es una mentira o un vacío para los políticos, y un hogar entrañable para el campesino.

Es fácil acumular muestras del lenguaje insustancial del medio político. Se ven pegadas en la superficie ubicuos *posters* y emblemas del Partido sobre las paredes de la ciudad; el retrato del líder cubriendo la pared («bajo un lienzo de pared, ilustrado por la ancha sonrisa del líder», p. 10); la mala literatura circula en papelillos sueltos; hay papeletas en «millares de sobres blancos y amarillos» (p. 19); el programa del Partido está afirmado en miles de folios, carteles, folletos, octavillas, cartelones y letreros. La aparición de estos signos políticos es continua, y el narrador suele señalar, más que su contenido, el tiempo que llevan adosados, calculado por algún detalle que es a menudo indicativo de la indiferencia de quienes los ven:

La calle estaba alfombrada de folletos y octavillas y los coches imprimían en ellas las huellas de sus neumáticos. En las fachadas de las casas, en las tapias de las obras, en los mármoles de los bancos, abigarrados cartelones invitaban a votar a un partido o a otro. De vez en cuando, algún letrero indeleble trazado con «spray»:

(p. 44)

Y en la página 150: «Los impresos revolaron unos momentos y cayeron al suelo o al arroyo blandamente sin que nadie se tomara la molestia de mirarlos.» O, subordinado a otro objeto descrito: «Las ruedas siseaban suavemente sobre el asfalto húmedo, empapelado de octavillas» (p. 184).

Se anotan también las reacciones hostiles que esta propaganda produce: «Cuatro carteles desgarrados» (p. 56): algún destinatario probable de todo este papeleo, algún adversario político, en vez de leer, lo arranca para afirmarse en su lugar. El momento dramático de la novela acontece justamente porque un propagandista de otro partido pega su cartel sobre el puesto por Víctor y los suyos, quienes al protestar son agredidos, siendo el cartel mismo arma de la agresión: «El muchacho alto se volvió a Víctor con el otro engomado y se lo restregó repetidamente por la cara, al tiempo que le propinaba un rodillazo en los testículos» (p. 154).

Los mensajes políticos cubren la superficie textual, cegando el mundo novelesco para todo lo demás: el interés del narrador en ellos no es literal, sino moral. Si se detiene a comentarlos es para destacarlos como artificiales, mentirosos o feos —como basura verbal, en suma—. El folleto que anuncia al candidato, el senador Arturo González Torres (descrito por el narrador como el que «se mordía el labio inferior y adelantaba el mentón»), presenta «un Arturo juvenil, en calzones cortos»; «Arturo retrepado en los cojines de un diván, el brazo sobre los hombros frágiles de Laly, su mujer»; luego, «entre los ancianos» (pp. 8-9): unas imágenes convencionales llamadas a operar sobre la gente como emblema de energía, juventud, hombre de familia, compasivo... Las descripciones no son extensas, porque la finalidad no es tanto decir la verdad sobre él como señalar la incomodidad que le produce la difusión de una imagen cuya falsedad conoce mejor que nadie. Es un personaje tan plano como los carteles, y construido por ellos: por las fotografías y las frases hechas, por gestos y actitudes tomados de un arsenal político barato. A él se opone, como tipo, el señor Cayo, por su autenticidad, por hablar desde una larga paciencia y una sabiduría de siglos.

La creación del personaje en esta novela responde a una técnica oscilatoria, que unas veces utiliza la brocha (para esbozar lo antipático) y otras el pincel (para pintar a los personajes atrayentes). Laly recibe más atención que Rafa; Víctor, más que Laly; el señor Cayo, de «hablar mesurado y parsimonioso» (p. 82), más que Víctor, y esto se debe, creo yo, al interés que el narrador siente por su distinto modo de hablar, revelador de un grado diverso de sinceridad y de autenticidad. La insólita unión inteligente del señor Cayo con el mundo natural y su indiferencia total por las maniobras políticas le caracterizan. (En esta obra, «arribismo» se ve más como movimiento hacia algo: el coche, las cintas del magnetófono, el itinerario apresurado, y hasta la posición facial del candidato tienen una finalidad de adelantar que el quieto protagonista no entiende.)

Víctor prefigura al señor Cayo, pues es lúcido; pero está encerrado por la costumbre en un medio alejado de la realidad. Es miembro del Partido, pero sus ideas políticas difieren bastante de las de Rafa y Laly. Su distancia de la tosquedad doctrinal de los jóvenes se establece señalando sus preferencias musicales y por el habla personalizada. Rafa parece un disco rayado de la actual jerga y la misma Laly lo advierte cuando le dice: «Pero tú me dirás cómo casas el género chico con una alternativa progresista» (p. 46).

Las diferencias del trío de personajes políticos están indicadas también por la manera en que se dirigen al interlocutor, cuestión que nos conduce al último aspecto del lenguaje insustancial, según se observa en los capítulos I, II, III y X. No puede haber interlocutor si no hay diálogo, y éste falta a menudo. En *El disputado voto del señor Cayo* hallamos dos maneras de hablar: la de los jóvenes, hijos de la sociedad tecnológica, y la de Víctor y el protagonista, un intrahistórico, anterior al «semidesarrollo» de los años sesenta.

El uso generacional del lenguaje pudo ser un criterio que rigiera la escritura, pero no lo fue, aun siendo de diferente edad los dos personajes que reflejan una manera de hablar, y otra de otra época. Lo que hace distintas las hablas es el contacto más o menos impregnante con la tecnología. Es curioso, pero la vida urbana y la rural no aparecen como antagónicas (recuérdese *El camino*, en donde sí lo eran), y así se comprueba en las conversaciones entre Víctor y el señor Cayo; se comprenden bien a pesar de su origen y educación diferentes. En ellos se acercan lo urbano y lo rural, revelando que la coincidencia —nostalgia en Víctor— en la apreciación de muchos problemas se debe a que el mundo «nuevo» no es satisfactorio, ni visto desde la perspectiva del campo moribundo, ni desde el punto de vista de quien advierte lo deshumanizante de la vida ciudadana actual. Al extenderse a todas las esferas de esa vida y, por contagio, al campo mismo, la tecnología ha ido borrando el relativo aislamiento de éste; nada permanece inmune a este virus: en el pico de un monte aislado se oirán en un transistor la musiquilla más trivial, las palabras de la publicidad y la comercialización; una bolsa de plástico y unas latas de alimentos artificiales hablarán con la expresividad muda de los objetos. Si el campo sigue idealizado en la obra de Delibes, no es tanto por diferenciarse de la ciudad, sino porque cuando es olvidado por el progreso o «desarrollo» puede conservar mejor su carácter pretecnológico, cosa imposible en las ciudades.

Laly y Rafa están acostumbrados a que haya máquinas encendidas sin que nadie preste atención. No así el narrador, todavía sorprendido —y por eso las registra escrupulosamente (casi ecológicamente)— por la omnipresencia del aparato que no cesa de funcionar, unas veces en el lugar de la acción, otras en puntos indefinibles pero audibles. El lenguaje residual ha sido desplazado a segundo plano, y no llega a calar las descripciones del primero más que en dos ocasiones, cuando el hablante ha de esforzarse por superponer su voz a la del locutor en un televisor (pp. 16 y 63). Pero el narrador siempre toma nota de la operación de las voces mecánicas; un ejemplo es éste: «Hablaban todos al tiempo y sus voces se confundían con la voz del televisor sobre una banqueta minúscula, en el rincón» (pp. 17-18). Presencias grises, estos locutores forman parte del ambiente urbano, así como los grillos y el correr del agua son parte del ambiente rural. Locutores y no interlocutores predominan en ese ámbito donde hablar significa emitir palabras y no intercambiarlas; se reflejan, rechazándose, los humanos y lo mecánico, y su choque expresa la problemática planteada por la deformación del lenguaje en nuestro tiempo. La descripción inicial (p. 7) de «las puertas de los dos pisos —izquierda y derecha— encaradas, como observándose, con sus desorbitadas mirillas de bronce», pudiera ser leída como signo de un enfrentamiento, y no de la comunicación, y aunque vagamente, recuerda la imagen utilizada en *Cinco horas con Mario* para describir la incomprensión entre madre e hijo: las paredes de un frontón «que no succionaban» la pelota.

Además de su obvia función (señalar la decadencia del diálogo), es posible imaginar que las máquinas desempeñan alguna más en esta novela. La informativa apenas importa; pero la de impulsar y ritmar al trabajador en su tarea se menciona taxativamente:

A compás de las monótonas voces del receptor de televisión, las manos se movían diligentemente, con un automatismo y una eficacia que únicamente podían provenir de incontables horas de ejercicio.

(p. 21)

Hay varias referencias, aunque ninguna llamativa, a la similitud y concordancia del hombre y la máquina. Caso interesante es el de los instrumentos musicales, tan distintos de la mecánica; si a los locutores no se les escucha, a los músicos sí, y llenan el vacío con sus melodías. El que la novela esté dedicada a Marysia y Narciso Yepes tal vez tiene un significado, que por ser extratextual será preferible soslayar. Dentro del automóvil en que viajan los propagandistas políticos, la música es el lenguaje que más se oye y quizá el que más se escucha, pues caracteriza a los oyentes (Víctor aprecia la melodía, por lo cual sus compañeros le consideran anticuado), y hay cierto paralelo entre música y paisaje. Mientras la cinta magnetofónica suena fuerte y el coche va a gran velocidad, el paisaje no puede ser visto con detalle, y el narrador adapta la descripción a tal circunstancia (pp. 47, 54, 56 y 72); cuando el coche corre de prisa, Rafa ve más el dintorno que Víctor; cuando llegan al puerto y la velocidad se reduce, todo se ve, lógicamente, mejor. Hay tres pasajes-paisajes típicamente delibeanos por la precisión léxica y la finura de matiz, asociadas con Víctor (pp. 73, 74 y 75); el último señala cuán lejos están él y Rafa mientras viajan juntos:

y el paisaje, adormecido hasta entonces, adquirió relieves, animado por una insólita riqueza de matices. La mirada ensoñadora de Víctor ascendió desde el cauce del río hasta la flor amarilla, estridente, de las escobas, a las hojas coriáceas, espejeantes ahora, del bosque de robles y, finalmente, se detuvo en lo alto, en los dentados tolmos, agrupados en volúmenes arbitrarios pero con una cierta armonía de conjunto. De lo más profundo del valle llegaba el retumbo solemne, constantemente renovado, de las torrenteras del río. Permaneció un rato en silencio. Al cabo, repitió en voz baja, como un murmullo:
—Es increíble.
Dijo Rafa, frívolamente:
—Alucinante, macho, pero si un día me pierdo no me busques aquí. Esto está bien para las ovejas.

(p. 75)

El vocabulario revela conocimiento de la naturaleza, y el tono contemplativo del narrador prepara al lector para ingresar en un ambiente distinto del vivido hasta ese momento; allí observará una forma de vida que tiene muy poco de común con las opiniones expuestas anteriormente sobre el trabajo, la familia, los derechos de la mujer, el descanso, el retiro, etc.

Una conversación de los tres personajes políticos que llevan la voz cantante informa al lector de la ideología del Partido y de los sentimientos personales que a ella se vinculan. No resulta muy convincente esta parte, quizá por resumir en pocas frases el sentir de toda una generación y por hacer que la representen unas figuras tan claramente «parciales» y hasta caricaturescas. Doy una muestra del intercambio entre Rafa y Víctor que, si bien recoge la perplejidad de éste ante las «nuevas ideas», no las sondea suficientemente:

—Tú estás carroza, macho, eres un espécimen de otra generación.
—¿Y qué pensáis vosotros?
—Por de pronto que los niños son un coñazo. La gente nueva está por la píldora, el aborto, el amor libre y punto.

(p. 69)

Luego la narración se aleja del ambiente político para sumergirse en otro, reposado, sencillo y natural; en la misma fonda donde concluye la exposición del ideario político se nota que la importancia de los aparatos mecánicos ha decrecido: el televisor suena, pero el decir de los jugadores de cartas (que están allí) se oye cuando dan rienda suelta a sus emociones. Afuera se ve un río cuyo fluir sonará intermitentemente, reemplazando, con otros sonidos naturales, el lenguaje mecánico de la ciudad.

## Lenguaje sustancioso

Al comentar el lenguaje insustancial observé que su materia principal y la residual eran localizables, y que la difusión o la concentración de aquélla y su volumen afectaban la textura auditiva de ésta. El predominio de lo residual —las cintas magnetofónicas (y en el magnetófono mismo, sus pitidos)— sobre lo que dicen los personajes durante el viaje en automóvil se impuso ya cuando la producción de cantidades ingentes de palabras durante la campaña política, la cual ocasionó la pérdida de vigor expresivo y una receptividad disminuida en los eventuales destinatarios. El lenguaje principal operaba como instrumento de agresión e infiltraba el lenguaje residual, cuya función coincidió con la de aquél: soltar un rollo.

Insustancial y nocivo, el lenguaje teñido de lo tecnológico y lo político se opone a otro tipo de lenguaje audible en esta novela, al que llamo «sustancioso» por las siguientes razones:

1) El lenguaje residual correspondiente es natural, no artificial, y como tal, autónomo.
2) El propósito del lenguaje sustancioso es explicar e informar, no falsificar; hace el mundo más claro, no más turbio.
3) Los referentes son inequívocos.
4) La agresividad en el mundo rural tiende a ser física, no verbal, lo cual alivia el lenguaje sustancioso de la carga arrojada sobre el verbo por la civilización. (Recuérdese a Pascual Duarte, sorprendido al ver que en la ciudad los hombres peleaban con palabras y no a golpes.)
5) Al ser más literal y metafórico de otro modo, las significaciones sufren menos alteraciones.

Estos aspectos son positivos porque no sitúan al hombre en la arbitrariedad inacabable de las palabras, sino en el contexto verdaderamente comprensible de lo natural inequívoco, en el que literalmente nutre al hombre, y que si ahora no lo hace como antes es porque la sociedad se ha inclinado en favor de lo artificial, negándose a ver las consecuencias funestas de esta elección. El narrador de *El disputado voto del señor Cayo* prefiere, evidentemente, un mundo que permite conocer a fondo las cosas, y sus descripciones son más ricas y jugosas cuando tratan del ambiente rural; como a su antecesor, el narrador de *Las ratas*, lo natural le abre un vasto abanico de precisiones. Si esta vez el logro es menor, quizá será porque el sistema lingüístico es otro y el vocabulario «natural» parece un injerto, una muestra sin verdadero valor orgánico en la novela; al juntar el lenguaje como agresión aniquiladora («el disputado voto») con el lenguaje como nutrición espiritual («el señor Cayo») se comprimen en el texto mundos demasiado dispares; cada uno de ellos hubiera requerido más desarrollo para no quedarse cortos, como creo que se quedaron.

Pero veamos cómo funciona artísticamente el segundo lenguaje. El capítulo IV, el transitivo, preludia la exposición en los próximos cuatro capítulos de una actitud hacia el lenguaje, comparable a la de Víctor, único que vincula esos mundos. Tres imágenes contribuyen a precisar datos esenciales del ambiente natural: la fronda, las chovas y el río. Empezaré por «la fronda». Si ahora leemos «entre la fronda de las hayas» se destaca el pueblo (p. 79), antes hemos leído que Víctor destacaba entre sus amigos por las «barbas frondosas» (p. 42), y que la humanidad de Carmelo es «frondosa» (p. 11). La repetición del vocablo «fronda» (o de sus derivados) para describir primero rasgos de dos personajes y luego para decir algo del espacio aldeano asocia la virilidad y la humanidad con el paisaje. El uso de «fronda» y «frondosa» habría sido menos notable en otra obra; en ésta lo es mucho por tantas hojas desdeñadas —folletos, etc.— como se pierden, insignificantes, lo que da a aquellos términos un valor especial: lo vivo en contraste con lo muerto.

El río se opone a lo mecánico. Fluye y suena, mientras que esto hace ruidos. Eje del lenguaje residual natural, el agua del río simboliza vida y permanencia, y en una época marcada por la velocidad de los cambios lo simboliza de modo dramático. Cada vez que se menciona el agua, el sonido queda situado en una fina red de sonidos naturales, dando la sensación de que el espacio y el tiempo están verdaderamente compenetrados. El trasfondo complementa —y a veces es lo principal, mientras que el trasfondo urbano del lenguaje residual mecánico no ofrece esta relación—. «En los silencios intermitentes de las chovas se sentía el arrullo del agua entre los guijos y el estruendo lejano de la cascada sobre el camino» (p. 99). Aquí se nota, como en la cita siguiente, la tendencia del narrador a componer un dúo entre el sonido (el agua) y las voces (las chovas), dúo que sería posible entre estos sones y los de las máquinas (el ruido del aparato, la voz del locutor), pero que auditivamente carecería de interés por la falta en éstos de la profundidad, orquestación y melodía, propios de los sonidos naturales. El otro ejemplo:

De lo alto de los riscos descendían los gritos destemplados de las chovas y, a intervalos, todas ellas parecían hallar acomodo y callaban y, entonces, se abría en derredor un gran silencio, acentuado por el rumor cristalino del riachuelo al atravesar el pueblo y el eco lejano, solemne, de la cascada, abajo, a sus pies.

(p. 119)

Evidentemente, las proporciones han cambiado: la riqueza musical del lenguaje residual natural permite una amplitud y belleza descriptiva que el lenguaje residual mecánico no permitió. En esta sección de la novela (capítulos V, VI, VII y VIII) los sonidos aumentan en número y variedad, dando una sensación de atenuada plenitud en torno al lenguaje principal.

Entre las frecuentes alusiones al agua y los pájaros, destaca la presencia de las chovas, un coro que canta hasta inquietar a Rafa, pero que no inmuta al señor Cayo (ni al narrador, que dos veces lo mencionó antes de transcribir este diálogo breve):

Rafa miró a lo alto, a las chovas de los cantiles:
—¿Y no les hacen nada los bichos esos a las gallinas?
En la boca del viejo se dibujó una mueca despectiva:
—¿La chova? —inquirió burlonamente—. La chova, por lo regular, no es carnicera.

(p. 85)

El viejo sabe quiénes son sus enemigos y quiénes no: en el mundo animal anda precavido, pero no asustadizo, y en el humano corta la comunicación con quien no le gusta. Está tan cómodo con su lenguaje residual como las gentes de la ciudad con el suyo, y su conocimiento del medio es sólido, útil. A las preguntas de sus visitantes contesta con detalles exactos y hasta con definiciones que muestran su comprensión de lo natural y su dominio del idioma, lo cual sólo parecerá irónico a quienes en vez de ver al hombre vean el prejuicio: el «cateto». Víctor le pregunta por el chopo, la flor del sauco, las abejas, y recibe respuestas cuya sustanciosa claridad le nutre. Y de hecho, las horas pasadas con el señor Cayo, además de entretenidas, le resultan informativas, pues aprende qué son o para qué sirven muchas cosas: una cardancha, el cárabo, un cuclillo, un enterizo... Se explica con paciencia cómo se deben replantar las remolachas y se asiste al espectáculo de la captura de un enjambre.

Surgen en las conversaciones los temas antes debatidos, y en este terreno también parece haber más coherencia conceptual y buen sentido en la mente del señor Cayo que en la de quienes pretenden convertirle a la modernidad. El feminismo lo comprende a través de las abejas; el tiempo lo percibe en un marco estrecho, pero claro, la historia del valle, que le proporciona un sistema recordatorio útil; prefiere el trabajo al ocio llamado «el retiro»; con la familia, habituada a ayudarse mutuamente, le basta: no le hacen falta ni le gustan los asilos para ancianos; la guerra fue, simplemente, «el cuento de nunca acabar» (p. 114); y toma en serio la obligación paternal, según se deduce de su crítica del cuclillo: «¿Ese? Ese pone los huevos en nido ajeno, donde los pájaros más chicos que él, para que le saquen los pollos adelante» (p. 127). Las ideas del Partido, incluso la relativa a la importancia de votar y de no ser pobre, se desgajan en ese mundo elemental, donde no son ni operantes. Por esto no es posible persuadirle.

Cuando llegan los agitadores de otro partido, presumiblemente fascistas, la «disputa» por «el voto del viejo» se convierte en una riña grotesca entre propagandistas políticos, los unos incapaces de comunicar con el viejo (salvo Víctor) y los otros que ni lo intentan, decididos a la violencia para conseguir el poder. ¿Es esto democracia?

Ajeno a la pelea de los políticos, testigo desde fuera de ella, «El señor Cayo, de pie, inmóvil como una estatua, contemplaba la escena» (p. 155). ¿Indiferente? De fijo, no. Lo que no pudieron las palabras acaso lo puede la violencia. Concluye la novela dejándole en su sitio, mientras los políticos vuelven al enjambre verbal, a la palabra insustancial. Dos mundos, dos lenguajes y dos Españas irreconciliables. *El disputado voto del señor Cayo* se funda en idéntico pesimismo al que impregna la novela precedente de Delibes, *Las guerras de nuestros antepasados*.

# CAPITULO VI

# UN ENFRENTAMIENTO VERBAL:
## *LAS GUERRAS DE NUESTROS ANTEPASADOS*

### EL SIMULACRO DE LA COMUNICACIÓN

La obra que voy a comentar rompe decididamente con las normas habituales de la novela dialogada. El lector encuentra en el intercambio verbal de los personajes una calidad en el mensaje que escapa a la que suele suscitar el género. En novelas dialogadas como *La loca de la casa* o *Realidad*, de Benito Pérez Galdós, el uso del diálogo supone que el autor confía en su eficacia para poner en comunicación los centros mentales de los interlocutores. Hasta fecha reciente no se planteó a fondo la problemática del modo dialogal, pues se daba por sentado que servía como óptimo instrumento de comunicación entre dos personajes. Esta suposición falla si se aplica a *Las guerras de nuestros antepasados*. En la superficie sigue funcionando el diálogo con la misma eficacia —permite que los personajes intercambien un máximo de palabras—, mas se utiliza con un propósito complementario: mostrar a lo vivo la incompatibilidad y hasta incomunicabilidad de dos maneras de pensar. No se entienden los interlocutores, ni siquiera en circunstancias propicias.

Un personaje intenta penetrar en los circuitos mentales de otro del modo más escrupuloso: en confianza, con calma, procurando esclarecer lo nebuloso, dejándole hablar a su manera, aunque perfilando la confesión cuando no entiende bien lo dicho. Uno de los últimos intercambios

entre el doctor Burgueño López y el recluso Pacífico Pérez
lo atestigua:

*Dr.* —[...] todo lo que hagamos para interpretar correctamente
tu comportamiento será lícito, ¿no?
*P. P.* —No lo sé, oiga. Pero usted lo que busca es enredarme.

(p. 294)

Lo que uno llama «interpretar correctamente», es, para el
otro, enredarle, porque parten de modos de pensar y de
entender la vida incompatibles.

En el mundo ficticio las palabras de los personajes
constatan la dificultad de la comunicación. Al ser dialo-
gado el texto, no contiene ninguna palabra emitida directamente por el autor (ni siquiera aparece un «yo» gramatical, descarnado), lo cual le obliga al lector a recibir la incomunicación en estado natural: las voces de los personajes no se conjugan como en el discurso narrativo habitual que, al menos a ese nivel del discurso, suaviza la tensión entre los dialogantes. En *Las guerras* se enfrentan dos
conciencias enajenadas, y como falta el habitual centro de
conciencia, la lectura activa la conciencia personal del lector, que opera en el texto como antaño lo hiciera la conciencia autorial.

LA SITUACIÓN MÉDICO-LEGAL

Se puede empezar a conocer el centro mental de los personajes si con la acción novelesca aceptamos los términos
y conceptos médico-legales que la acompañan. En el capítulo IV (de este libro) esbocé los puntos pertinentes para
una crítica psicológica de *El príncipe destronado*, pero
preferí estudiar aquella novela lingüísticamente, y sigo
prefiriéndolo ahora. Creo necesario, sin embargo, añadir
algo en esta ocasión al análisis lingüístico. Aunque sea médico uno de los interlocutores de *Las guerras*, en realidad
su interrogatorio no está exento de inclinaciones personales. Sus simpatías y antipatías por algunas figuras importantes en la historia de Pacífico interfieren involuntaria-
mente con el propósito profesional de conocer al enfermo.
Por otra parte, su manera de interesarse en el paciente indica que la participación del médico sólo podía ser lo que

es: mezcla de sentimientos —piedad, curiosidad, admiración— derivada luego «en una verdadera obsesión por ayudarle» (p. 10), y la aplicación de una técnica investigadora. Personal e impersonal a la vez, el benefactor-investigador lleva la batuta en el diálogo. (La elaboración escrita de las conversaciones es otra cuestión, posterior a la participación inmediata, y la examinaré al final.)

Otro factor que anima a considerar la acción verbal de la novela con términos y conceptos médicos es que ya otra obra de Delibes planteó una escena cuya semejanza situacional (un médico habla con un enfermo para diagnosticarlo) es tan marcada como su desemejanza intencional: el grotesco psiquiatra de *Parábola del náufrago* parece empeñado en ofuscar a Jacinto, mientras que el doctor Burgueño quiere ayudar a Pacífico; el primero fabrica «criminales» y el segundo separa el criminal del enfermo. Aquél abusa de la ciencia, mientras éste intenta usarla bien y desde un fondo cristiano, si interpreto correctamente la modificación de su nombre en el segundo informe. Al principio firma «Dr. Burgueño López», y al final «Francisco de Asís Burgueño, Doctor en Medicina». La consideración médico-legal no resulta relevante en *Parábola del náufrago*, donde se inserta una experiencia pesadillesca en un mundo fantástico; en *Las guerras*, en cambio, quizá sea productiva, pues los propósitos y las circunstancias, verosímiles unos y otras, piden comprensión racional y plantean una problemática real: ¿hasta dónde sirve la razón, con su abanico de teorías y métodos, para explicar una contradicción (horrible, en este caso) y la conducta anormal de un hombre? En la novela se excluye el tratamiento satírico que caracterizó a *Parábola del náufrago;* se deja al margen al profesional que despacha el calificativo «chalado» sin estudiar el caso. La intención del doctor Luis María Cárdenas, primero en ayudar a Pacífico, es buena. Su figura cómica contrasta con la seriedad del doctor Burgueño, cuya inteligencia y paciencia prometen un reconocimiento más cabal.

Pacífico Pérez padece, según explica el doctor Burgueño en su primer informe sobre el caso, «una fibrosis bilateral, con cavernas tuberculosas ya viejas y, en consecuencia, una propensión obvia a un fallo cardiorrespiratorio» (p. 9). Esta dolencia causará la muerte ocho años después, como se averigua leyendo el segundo informe: Pacífico «sufrió, con brevísimas intermitencias, tres hemoptisis» (p. 296), entró en estado de coma y expiró dos días después. Se resume en pocas palabras el mal físico, sin incertidumbre léxica, lo cual contrasta con la compleja situación moral, pues ni psicológica ni legalmente es explicable a satisfacción del médico el acto criminal de Pacífico. Clasificado como «homicidio», a su ejecutor le fue impuesta por el Tribunal la pena correspondiente: condena a muerte. Pero después de observar el semblante, la conducta y la actitud del culpable, el médico llega a la conclusión de que es «un desplazado, un ser desamparado y fuera de sitio» (p. 10), y decide ayudarle, o dicho en lenguaje médico-legal, investigarle clínicamente para hacer que cambie una pena que pudiera ser equivocada o injusta.

Entre sus impresiones, el doctor Burgueño incluye datos sobre la personalidad del enfermo, que precisaría análisis clínicos para permitir la ayuda legal. Tal análisis queda sin formular —es una novela, después de todo, y no un caso clínico—, pero como esa personalidad se presenta en este contexto, antes de que el lector pueda oír la historia, quizá valga la pena intentar identificarla. En su descripción escribe el médico:

Pacífico Pérez, de rasgos fisonómicos nobles, era alto y extremadamente flaco. Debido a su timidez, y tal vez a su enfermedad, caminaba ligeramente encorvado. Esto, unido a las entradas prematuras de su cabello y a las gafas de gruesos cristales que, como buen tímido, trataba de acomodar constantemente agarrándolas por la patilla derecha, le imprimían un aire intelectual que desmentían sus ademanes y, en particular, su tono de voz y sus expresiones, decididamente rurales.

(pp. 9-10)

A continuación destaca su arte para construir un pequeño jardín con pocas semillas y herramientas, su «paciencia benedictina» (que da como resultado el «remanso vegetal»), su ecuanimidad: «Los obstáculos parecían estimularle» en vez de frustrarle, su falta de entusiasmo ante la única visita que recibe. Ya antes comentó «su disposición resignada», su conducta taciturna y distante, aunque afable, con los compañeros, su falta de reticencia o doblez, su «discreto silencio» en los «interminables coloquios» de los compañeros.

Las observaciones apuntadas en el informe, junto con ciertos datos ofrecidos por Pacífico, permiten afirmar que éste exhibe un *carácter*, un conjunto de cualidades psíquicas y afectivas que condicionan la conducta, y que sus *actos* muestran por lo general bastante *volición*. Es *asocial*, aunque sin incordiar (no es *antisocial*); prefiere no formar parte del grupo, pero no molesta a nadie. Es *introvertido*, a juzgar por su interés mínimo en relacionarse con los demás, pero su amor a la naturaleza, visible en su cuido constante del jardín, le conecta con ellos, y lo prueba su uso del *lenguaje oral:* suele ser lacónico, pero es comunicativo cuando explica «los pormenores de alguna flor o las exigencias del minúsculo semillero» (p. 10). El *temperamento* revelado por su conducta podría ser clasificado de *linfático:* la *frialdad emocional* le caracteriza. Es *ectomórfico* («alto y extremadamente flaco»), como Don Quijote, y de rasgos fisonómicos «nobles». La acumulación de virtudes ahuyenta la idea del crimen, y de estas primeras páginas emerge una víctima, no un verdugo: «era un ser desamparado» (p. 10).

En la primera sesión con el médico aprende el lector que Pacífico es *hipermnésico*, pues sostiene que recuerda el día que nació, y cuenta cómo le arrastraba «la corriente» (p. 29). En esta ocasión, lo insólito de tal memoria pone en guardia al interrogador, obligado a distinguir la realidad de la imaginación; en la cuarta sesión llegará a decir, sin embargo: «¿Sabes que tienes una memoria envidiable, Pacífico?» (p. 134). Y no sorprende su asombro, pues en múltiples ocasiones el enfermo ha evocado con gran detalle episodios de su vida. Descubrimos también que es *hiperestésico:* su sensibilidad y su afinidad con el Hibernizo en días de heladas fuertes cuando era joven le producía tiritonas:

Pero en dos días no paraba de tiritar y, al cabo, me levantaba, oiga, me llegaba al huerto de mi tío Paco y las yemas del Hibernizo habían brotado, ¿entiende? Conque un año y otro la misma historia, de forma que conforme me venía la tiritona, yo le decía a Madre: Madre, el Hibernizo está para echar las yemas. Y a la mañana siguiente, me arrimaba al camueso y ¡tate!

(p. 31)

Otras experiencias confirman su hiperestesia: le duelen los labios al ver una trucha tragar el anzuelo; sufre mucho al ver podar un árbol; orina sangre cuando oye mencionar la bayoneta al contar el Bisa su historia de Galdamés. Don Prócuro, el cura del pueblo, diagnosticó las dolencias como «un caso claro de simpatía» (p. 36); don Alfaro, el médico rural, como «sensibilidad», y el médico urbano precisará más: «Un caso límite de hipersensibilidad» (p. 36).

A diferencia de lo que ocurre a muchos seres humanos, Pacífico tiene una *personalidad* simbolizada por su nombre —es la apacibilidad andando—, pero crece en un *medio* que exalta la agresividad, y de ahí el *conflicto*. ¿Cómo, en un mundo de discordia, puede prevalecer su concordia interior? Según él concede luego, la discordia es «el cuento de siempre» (p. 116). Desde pequeño se sabe y le llaman diferente por no compartir la inclinación de sus progenitores a la barbarie. Hasta su *fisiología* parece indicar su radical diversidad; el Bisa, el Abue y Padre son zurdos y fornidos; él, como su tío Paco, es diestro. También le distingue la diferencia en la *actividad motora:* frente al actuar y hablar constantes de los de casa, prefiere, siguiendo al tío Paco, mirar y callar, una vida mansa y reflexiva que los familiares guerreros no entienden. La *constitución* de Pacífico no es apropiada para luchar físicamente. El sargento que le examina le califica de «inútil», añadiendo: «Tres vías de agua: cegato, estrecho de pecho y los pulmones agujereados.» Un comentario ulterior del sargento muestra hasta qué punto el machismo militar humilla a los débiles: «¿Sabes para lo que estás tu? Para cogerte con unas pinzas y tirarte con cuidado a la basura» (p. 123). Pero Pacífico ni se achanta ni se siente *inferior* ante tales bofetadas al *ego*. Es quien es, y posiblemente por no renegar de ello puede tener el *don especial* (lo llama así el médico) de catar bien las colmenas, pues respeta las leyes de las abejas, y como premio es respetado y no atacado por el mundo natural. En esto recuerda a otros héroes delibeanos, agraciados con análogo poder —el Nini, en *Las ratas*, y el señor Cayo, en *El disputado voto del señor Cayo.*

En suma, Pacífico es un tipo: el *conciliador*, como su tío. Consecuentemente, es un *desplazado* que no encaja en ninguno de los modelos de conducta corrientes; se retrae para evitar los problemas propios de quien pertenece a una facción. En el colegio aprende la perennidad de la guerra y, por lo tanto, que la actitud de su padre y de sus abuelos es la *normal*, pero se resiste a hacerla suya.

Cuando habla del tema con su tío Paco le pregunta: «¿Es que en la vida hay que ir siempre contra alguien?» Y el tío, después de reflexionar, responde: «Eso se llama competir.» Pacífico insiste: «¿No podemos ir todos juntos a alguna parte?», a lo cual le contesta: «Eso todavía no se ha inventado» (p. 81). Agredir es un acto que su temperamento apacible y su condición hipersensible rechazan por desagradable y doloroso.

El doctor Burgueño intenta descubrir cómo un individuo de tal naturaleza fue movido a la violencia, y su exploración del caso —la otra cara de la situación médico-legal— revela dos cosas: primero, la técnica utilizada para investigar afecta las conclusiones de la investigación; segundo, el inevitable subjetivismo del diálogo clínico implica un enfrentamiento que obstaculiza la comprensión mutua.

Lo que el médico pide a Pacífico desde el comienzo es que sea sincero con él y consigo mismo, que haga «un esfuerzo por recordar cosas, incluso pequeños detalles que se refieran a personas y hechos de [su] vida, empezando por la infancia» (p. 15), y que no se dé prisa. En otras palabras, que le cuente su vida sin reservas. Así la narración es dual: el médico es el narrador de la novela y Pacífico el narrador de su historia.

Ahora conviene observar la vigencia de ciertas teorías psicológicas en la investigación, pues la finalidad perseguida es recoger los datos necesarios para inducir a una reducción de la condena. Al comienzo de la primera sesión, dice el doctor que procurará ayudar diagnosticando el mal de que adolece el recluso.

Inicialmente la intervención del facultativo se caracteriza por la necesidad de preparar el caso clínico: es preciso animar al enfermo para que cuente sus *primeros recuerdos*, su *autoimagen* cambiante, su percepción de los *miembros de la familia* y de otras personas; obtener información sobre el *medio ambiente* que ha influido en el *individuo* y su *conducta*. Las primeras tres sesiones sirven esta función. Pacífico va trazando el *marco de referencia*, cuyo conocimiento permitirá «explicar» el homicidio; su *espacio vital psicológico* se construye por acumulación de los hechos determinantes de su conducta, y la tarea del investigador es recogerlos, ordenarlos y cuidar de que respondan a la verdad para que las conclusiones deducidas de ellos sean válidas.

El método utilizado es el *analítico*. El médico decide cuáles son los *constituyentes* de la *experiencia*, significativos para explicar el homicidio. Tal procedimiento se asemeja a los interrogatorios forenses [1]. Quedan fuera las aproximaciones psicológicas que habrían apuntado a otros factores como fundamentales en el caso. La teoría *hórmica*, por ejemplo, subraya la importancia de los *impulsos instintivos*, y no la relación entre ellos y la *conciencia moral* (¿cabe aplicarle a Pacífico Pérez el sistema de valores de un médico culto y urbano?). El método *conductista o behaviorista*, más cercano al analítico por centrar el estudio en la conducta en vez de en los impulsos, considera marginal la cuestión de la consciencia y la conciencia moral. La teoría *introspectiva* recoge los datos por medio de la introspección, y no habría dado lugar a esta novela, pues si algo caracteriza el estilo oral del protagonista es su espontaneidad. Otras teorías y sus métodos respectivos —la *psicoanalítica*, cuya exploración del *inconsciente* exige bastante más tiempo que las siete sesiones de la novela, la *terapéutica de grupo*, que requiere la participación colectiva, o la del *grito (primal scream)*, que excluye la razón para descubrir el hombre primordial— tratan aspectos omitidos por la teoría analítica. Las menciono para recordar la importancia estructural de la teoría y método escogidos (imponen un orden a la materia) y su parentesco con los modos judiciales de investigación.

A partir de la cuarta noche se hace más visible el método utilizado y el deseo del investigador de esclarecer los motivos de Pacífico Pérez en la decisiva escena, referida en esta sesión. Si consigue comprender la causa de la violencia, confía en llegar a un diagnóstico que rescate al desplazado. Pero no ocurre así. Toda la prueba indica que, aparte de su retraimiento e hipersensibilidad, Pacífico es capaz de dominarse y de conducirse de modo coherente. El acto criminal no encaja en el esquema. Esto deja perplejo al analista, que persiste en sus pesquisas con la esperanza de encontrar la explicación lógica (la psicológica), y se re-

---

[1] Pacífico se siente acosado por la insistencia del analista, llegando a decirle: «Se pone usted como el abogado, oiga, igual de testarrón» (p. 171).

siste a admitir la incongruencia de un hombre apacible que mata a sangre fría y sin remordimientos.

## ENTENDIMIENTO Y COMPRENSIÓN

No se llega a explicar satisfactoriamente el homicidio, por la imposición de la ideología del interrogador sobre los actos del interrogado. Equipado con determinadas ideas, aquél pretende que sean compartidas por quien tiene otras. Y fracasa, porque ni puede imponerlas ni, aunque pudiera, servirían para explicar lo evidentemente irracional. El diálogo analista-enfermo supone una relación basada en cierta comunidad de intereses, de pensamientos, de sentimientos, y en este caso se produce, pero su consistencia es tenue. La voluntad de ayudar refuerza el vínculo, mas la simpatía del analista, clara al comienzo (pp. 85, 92, 110 y 120), decrece según va descubriendo la actitud de Pacífico frente al crimen perpetrado por él. Se va viendo la incompatibilidad de los personajes en cuanto individuos, y siempre algo de esa divergencia persiste entre ellos, aunque el profesional lo suele controlar, reduciéndolo al mínimo. A veces, sin tener conciencia de ello, impone interpretaciones basadas en una percepción subjetiva que no cuadra con los hechos, mostrando así que su punto de vista difiere bastante del de quien cuenta. Ejemplo es la hipótesis de que el Bisa y el Abue compiten por hacer «mejor» la guerra; incluso, contra la negación rotunda de Pacífico (p. 51), el médico se aferra a lo que supone. Cerca del final declara su convicción de que es la ley universal «sangra o te sangrarán»: «Escucha, Pacífico, mientras no nos metan de nuevo en el vientre de nuestras madres para que nos paran distintos, allí donde alcance el hombre el hombre estará amenazado» (p. 292). Obviamente, no es un agresor, pero su creencia en el enfrentamiento como forma de vida basta para causar la escisión, la pérdida de *rapport* con el enfermo. Y sin ese acuerdo la interpretación de los hechos se dificulta.

Las preguntas del médico prueban que obedece y respeta (por no decir venera) la razón. Ponerla en juego significa tener idea de las cosas, entender por deducción e inducción. Pacífico la emplea menos; tiene un cierto don para entender sin razonar, y piensa en forma diferente. La del uno se basa en el entendimiento; la del otro, en el instinto. Entendimiento y comprensión aparecen como formas del pensar asociadas a distintas actitudes hacia la vida. La claridad teórica y la precisión terminológica reflejan la luz del entendimiento, mientras las percepciones instintivas se asocian con el modo de comprender de Pacífico. Al crear entes que son personificaciones de modos de pensar, se propicia la observación de los atributos de mayor relevancia artística. Al crear los lenguajes apropiados para expresarlos dramatiza esa tendencia de la filosofía occidental, que tiende siempre a rebajar o soslayar la importancia de la imaginación. El inglés Francis Galton explicó a comienzos del siglo en qué consiste la diferencia entre los dialogantes de *Las guerras de nuestros antepasados:*

A habit of suppressing mental imagery must therefore characterize men who deal with abstract ideas; and as the power of dealing easily and firmly with these ideas is the surest criterion of a high order of intellect, we should expect that the visualizing faculty would be starved by disuse[2].

Quien maneja fácilmente las ideas abstractas es, claro está, el doctor Burgueño, y quien posee mayor poder para crear imágenes es Pacífico. Examinando el lenguaje de cada uno lo podremos comprobar.

## Dos lenguajes antagónicos

Desde el primero al último capítulo se mantiene con singular coherencia el contraste entre dos hablas. Urbano, culto y científico uno de los personajes; el otro es un contrapunto: rural, semiculto y personal. La contraposición se presenta sistemáticamente, exponiendo los mismos aspectos diferenciales, y a veces divergentes, de las dos hablas. Vocabulario, ritmo y tono son los rasgos más destacados. Falta el lenguaje escrito en el texto principal (es lenguaje oral grabado y reproducido por escrito tras leves modificaciones «editoriales»), de manera que los personajes son, ante todo, voces. Los informes, muestras del lenguaje escrito del médico, complementan su lenguaje oral sin apenas distinguirse de éste, ya que en cuanto clí-

---

[2] *Inquiries into Human Faculty*, Londres, Dent, 1907, p. 76.

nico habla como escribe y viceversa. La falta de muestras del lenguaje escrito de Pacífico evita al lector la conciencia de la incorrección y le aleja de una excesiva concentración en el verbo realizada a expensas de la persona, más captable quizá, en su expresión espontánea, en el lenguaje hablado. La forma oral permite mayor libertad expresiva a los personajes, eliminando de nuestra recepción lo aprendido y a la vez acentuando lo ambiental: hay un habla de ciudad y un habla de campo.

La transcripción de las grabaciones constituye el núcleo central de la novela, de modo que su textura es de sustancia literalmente oral. La técnica, contemporánea por cierto, reduce al mínimo la necesidad de la intervención autorial, porque el responsable de la transcripción (dentro de este juego de ficción) es uno de los personajes. Técnica eficaz para dar la impresión de que el único intruso en las sesiones íntimas es el lector. El novelista ni se asoma al discurso, y gracias a eso, tanto sus criaturas como sus lectores disponen del primer plano, en tanto él queda a la sombra del proceso creador. La presencia del magnetófono cuando el final está cerca resulta traicionera justamente porque a lo largo de la novela se mantuvo un clima de confianza total, un contexto silencioso en el que casi se oye el enrollarse siniestro de la cinta-espía que, como dice Pacífico, «todo lo parla». Y como el lenguaje oral predomina, el acto de leer recuerda el acto de escuchar.

El habla del médico, muy lograda en su consistencia estilística e importante estructuralmente, interesa poco en el aspecto lingüístico, ya que presenta escasas peculiaridades. Es un castellano correcto, algo rígido; sirve la evidente función de sentar las necesarias bases de precisión, orden y claridad, y la de proveer un eje semántico para el lector. Al pedir —con frecuencia— a Pacífico que aclare algo, el médico estimula la emergencia ·de una palabra poco gastada, de una asociación mental ambigua, de algún uso particular o regional, etc. Estimula la descripción del mundo de Pacífico: la narración interior. Ya comenté la función clínica de estos estímulos; la novelesca es complementaria, y gracias a ellas podemos captar las imágenes, saber cómo es el pueblo natal del enfermo.

Debido al propósito y método de las conversaciones, el habla del doctor se caracteriza por su neutralidad. No interesa conocer la persona del analista, sino la del enfermo, así que en el habla de aquél se destaca la natural tendencia a suprimir la expresión personal en beneficio de la objetividad (aunque cierto subjetivismo residual sea inevitable).

De los tres aspectos destacados, el primero revela la forma de pensar del médico, pues los otros vienen determinados en gran parte por las circunstancias. Quien por su oficio se concentra en la interrogación habla con un ritmo poco natural en circunstancias más libres (si no, parecería un preguntón); el hábito de preguntar enseña a economizar la expresión: la pregunta, como el bisturí, ha de cortar fino para encontrar el punto neurálgico. Debido a estos factores, el ritmo del doctor Burgueño suele ser apremiante, quiere que el enfermo cuente las cosas con calma, pero sin digresiones. El tono oscila entre la curiosidad y una ligera desconfianza. Los escasos momentos en que habla sin ser determinado por las circunstancias clínicas, o siéndolo poco, ocurren cuando recibe a Pacífico. Al acogerle la primera noche se expansiona un poco, y lo mismo sucede las cinco noches sucesivas, pasando a resumir lo ya conversado como medio de renovar el diálogo. Sin perder tiempo ni palabras.

Las dos últimas sesiones se abren a la inversa: es Pacífico quien entra con saludos y preguntando cómo está el analista, que no se encuentra muy bien. ¿Casualidad o inversión significativa? Creo que inversión hecha muy adrede. Al irse erosionando el análisis racional, su eficacia es menor. Puestos en evidencia los limitados conocimientos del médico respecto a las leyes que rigen el mundo de su paciente, aquél aparece levemente irritado, o frustrado. Y no es de extrañar, pues lo conversado en las tres últimas sesiones se fue transformando en un cuento de aventuras —la fuga de la prisión—, que pierde sentido si el interés por los detalles es analítico, sin dejarse contagiar por la emoción. Se introduce un desequilibrio cuando el ente «superior» se convierte en aprendiz y comprueba que el cateto entiende mejor la dinámica del grupo (de la prisión), la motivación (de los otros presos) y la estrategia (para escapar). Al referir la aventura, Pacífico revela su capacidad para reflexionar, analizarse y comprender lógicamente una situación; también su sagacidad para establecer analogías: no se le oculta la similitud entre la fuga y la guerra (pp. 268-269). Las preguntas del médico, en cambio, se vuelven entonces torpes, no sabe *qué* preguntar. Cuando cuenta Pacífico cómo el guardia empezó a dispararles con la ametralladora en la oscuridad y él intentaba sustraerse al peligro, ocurre este intercambio:

*Dr.* —¿Hacia dónde corrías?
*P. P.* —Hacia la cerviguera, mire, a escabullirme entre los robles.
*Dr.* —¿Qué idea tenías en esos momentos?
*P. P.* —¿Ideas? Yo corría por correr, doctor, parigual a los conejos, o sea, para que no me cazaran.
*Dr.* —¿No pensabas ya en coger el tren?
*P. P.* —¡Dale! Si le digo que no pensaba nada es porque no pensaba nada, oiga. Lo único que no me arrearan un tiro. Lo natural, digo yo, en esas circunstancias.

(p. 276)

No es la primera vez que se impacienta Pacífico con la suposición de que el pensamiento racional es ubicuo y superior en la experiencia, incluso en medio de sensaciones fuertes [3]. Ni es la primera vez que el texto señala los límites de esta estructuración de la experiencia.

Por su doble función clínica y narrativa, el habla del médico abunda en paráfrasis que reordenan constantemente lo dicho por el enfermo. Si en la vida de éste observamos una organización, ello se debe principalmente a la frecuente intervención del médico para asegurar al relato un progreso lineal. El vocabulario estructura la materia al definirla o redefinirla. Vale la pena enfocar este punto de modo comparativo, porque la sinonimia de las expresiones usadas por los hablantes sugiere el diferente modo con que organizan verbal y mentalmente la experiencia. Al tender uno a lo conceptual y abstracto y el otro a lo perceptivo y concreto, se dificulta el mutuo ajuste, dificultad que

---

[3] En *Los bravos* (1954), de Jesús Fernández Santos, un personaje pregunta qué se sentirá al cortarse un dedo, y otro le contesta que no produce un sentimiento, sólo una sensación: que le duele a uno. El efecto desracionalizante de una situación acompañada de sensaciones fuertes está visto al extremo en un cuento de Jorge Luis Borges, «Emma Zunz», cuando incluso el crimen premeditado se transforma súbitamente en la realidad en una experiencia insospechada. La relación entre lo que se piensa y lo que pasa en la mente en una situación insólita le interesa igualmente al doctor Burgueño, enfrentado por Pacífico con una acción desligada de la razón.

tratan de vencer aclarando los componentes de sus ideas, las palabras.

*Las guerras de nuestros antepasados* aviva la conciencia de la sinonimia porque a cada poco se pide o se da una aclaración, mostrando la capacidad parafrásica y sinonímica del lenguaje:

Dr. —Un razonamiento pertinente, hijo.
P. P. —¿Cómo dice?
Dr. —Que así es; que te sobra razón, Pacífico.

(p. 47)

La traducción frecuente de una palabra, expresión o frase al equivalente conocido por el interlocutor destaca un mecanismo comunicativo del lenguaje hablado. En la cita anterior la aclaración es necesaria; en otras ocasiones debe hacerse para eliminar la inseguridad en cuanto a la intención y a la significación de lo dicho cuando varias interpretaciones serían posibles. Un ejemplo de inseguridad ocurre cuando Pacífico cuenta sus amores con la Candi:

Dr. —¿Que os enredasteis? ¿Quieres decir que entablasteis relaciones carnales?
P. P. —Eso es, sí, señor.

(p. 135)

A veces es innecesaria la aclaración, pero se vuelve a decir lo mismo de otra manera por un prurito estilístico:

P. P. —[...] el Humán tiene cincuenta, por un ejemplo, el Otero cuarenta. Por eso a mi pueblo le dicen Humán del Otero, pero, en realidad, mi pueblo son dos.
Dr. —En definitiva, que sois pocos y mal avenidos, ¿no es así?

(pp. 39-40)

En general, el necesitado de definición es el hombre rural, pues el vocabulario sofisticado del doctor incluye términos que ignora:

Dr. —Una solución salomónica, la de tu tío.
P. P. —Perdone, ¿cómo dice?
Dr. —No me hagas caso, Pacífico. Y ¿valió de algo la sentencia de tu tío Paco?

(p. 85)

El médico suele simplificar su modo de hablar para facilitar la comunicación:

*Dr.* —Y ahí se acabó el patriarcado.
*P. P.* —¿Eh?
*Dr.* —Digo que a partir de ese momento cambiaría la situación. El Bisa dejó de ser el amo de la casa y tu hermana tomó las riendas, ¿no es así?

(p. 107)

Abundan ejemplos de una simplificación, que es a menudo autotraducción:

— manifestación castrense = levantar la voz

(p. 108)

— la posesión = lo de la salona

(p. 142)

— ¿no se alteraron vuestras costumbres? = si hacíais la misma vida que antes

(p. 160)

— alegaste = contestaste

(p. 288)

Las rectificaciones de una expresión vacilante o errónea mantienen la vividez del habla. No siempre decimos exactamente lo que queremos, y esto le pasa al doctor en dos ocasiones. Estos lapsos manifiestan, si no me equivoco, su censura interna a Pacífico, y ambos ocurren en la séptima noche: dice «penal» por «casa» (p. 277) y «celda» por «sala» (p. 285), como si ya visualizara mentalmente el marco criminal.

A veces el analista necesita una definición o una explicación de algo generalmente perteneciente a la vida rural, y es de notar que mientras él suele aclararse utilizando sinónimos simplificadores o circunlocuciones, Pacífico lo hace con explicaciones descriptivas. Unos ejemplos: «catador de colmena» (p. 113), «jabardos» (p. 119), «andas» (p. 144), «tepeté» (p. 148). El médico aprecia el valor expresivo y caracterizador de las locuciones peculiares y el léxico campesino de Pacífico, y lo hace constar en el primer informe:

Los «o sea», «a ver», «qué hacer», «tal cual», «por mayor», «aguarde» y otras locuciones semejantes están ahí no sólo por razones de fidelidad sino como exponente de una manera de ser, de una manifestación del léxico campesino de Castilla que, desgraciadamente, por mor del mimetismo urbano y de la televisión, van desapareciendo.

(p. 13)

Quien así se expresa bajo la observación del personaje es el autor de *Las ratas, El disputado voto del señor Cayo* y *S.O.S.*, invariable en su posición ecológica sobre el lenguaje.

Cuando no sabe encontrar un sinónimo equivalente, el médico acepta el término del enfermo. Tal es el caso de «la bombilla» (p. 34), imagen fantástica que Pacífico emplea para describir su desazón insólita. En una ocasión el médico se contagia lingüísticamente del paciente. Le hace gracia oír llamar al magnetófono «el chisme ese», y él adopta la expresión. Nada he dicho hasta ahora del valor humorístico del lenguaje suelto de Pacífico, cuyo contraste con la seriedad verbal del analista hace deliciosa la lectura de la novela.

Los interlocutores procuran aclarar cuanto les importa, sin hacer caso de lo que consideran irrelevante. Naturalmente, esto pertenece a un contexto percibido como ajeno: ni el médico se interesa en los detalles de la vida rural que Pacífico asocia con el tiempo en que conoció a la Candi, ni Pacífico prestó atención a los términos científicos que le oyó a ella y que despiertan viva curiosidad en el analista. Cuando el doctor Burgueño murmura «masoquista» (página 146) o «retrógrada» (p. 149), después que han hablado sobre un asunto, Pacífico no pide aclaración.

Resulta irónico que el doctor no dé importancia a los saberes peculiares del hombre rural, pues en conjunto esclarecen las razones de su actitud hacia la vida y la muerte. Desde el punto de vista de aquél, es inconcebible que Pacífico no manifieste pena por los muertos —su madre, su abuela, el Teotista, los compañeros de prisión—, y parece ilógica la coexistencia de la hipersensibilidad y la frialdad emocional en la misma persona. Tal cosa es comprensible si se admite la validez del sistema de saberes o código del hombre rural, y el personaje empieza a atisbarlo cuando Pacífico compara la veda con la guerra:

P. P. —[...] el matar hombres como el matar jabalíes había que hacerlo a su tiempo. [...] uno mata un jabalí en enero y le

dan un premio, pero le mata en julio y lo mismo pena por
ello, ¿comprende? Pues con los hombres, parejo. Uno los mata
en la guerra y una medalla, pero los mata en paz y una tem-
porada a la sombra.

(p. 173)

Pacífico es consecuente; acepta su castigo y a la vez reconoce la arbitrariedad de una ley que no castiga por realizar el mismo acto cuando se comete en la guerra. Y, curiosamente, es más estoico que su interlocutor, según se deduce de sus respuestas sobre los compañeros muertos:

Dr. —¿Sentiste lástima de ellos?
P. P. —A mayores no pené por ellos, no señor. Me hice a la idea
de que era ley de vida y en paz.
Dr. —¿Te parece ley de vida, Pacífico, morir achicharrado a bala-
zos en un descampado?
P. P. —Entiéndame. Vivo para morir, esa es la ley, doctor, el modo
poco importa.
Dr. —Dime, hijo, ¿y estaban muy desfigurados?

(p. 286)

Con esto llegamos al meollo: por mucho que se aclaren
o se expliquen las palabras, el contenido ideológico y la
forma de pensar acompañada de una actitud hacia la vida
y la muerte permanecen, y si los personajes no se relacionan a ese nivel, el diálogo será una ficción, un simulacro
de comunicación. En las conversaciones de esta novela, los
códigos utilizados son divergentes; la censura moral de un
personaje a otro por no sentir las muertes en el grado que
él cree normal es en definitiva una censura por no compartir su punto de vista y, por lo tanto, una incapacidad de
entender que actitudes distintas a la suya den ocasión a
reacciones discrepantes y «normales».

Conviene remontar a referencias anteriores. En lo tocante a la muerte de la madre y la abuela, se anota lo siguiente:

Dr. —[...] Dada tu sensibilidad enfermiza, te sumirían esas muertes en una gran amargura, ¿no fue así?
P. P. —Pues no lo crea, doctor. Puede decirse que yo ya estaba en-
señado.

(p. 102)

Después del intento frustrado de medir esa pena (fue «¿más o menos que cuando veías podar los árboles?»), la respuesta es: «Yo sí sentí la muerte de Madre, sólo faltaría» (p. 103).

La falta de conmiseración tras la muerte del Teotista desconcierta al médico: «Escucha, Pacífico, ¿no es el 'no matarás' un precepto del Decálogo lo mismo que el 'no fornicarás'?» (p. 171). El preguntado asiente, pero sin compartir el razonamiento. Al ser del Otero, el Teotista representaba al otro bando, y la oposición se había convertido en rivalidad cuando Pacífico mostró que podía catar una colmena; el Teotista «agarró un cabreo del demonio y que eso también lo hago yo, ¿comprende?» (p. 116). Quiere distinguirse como para todos se distingue Pacífico, y no lo consigue: fracasa, y las abejas le pican la burra nueva. Crece el rencor. En el último encuentro la rabia es suficiente para hacerle irrumpir amenazante en la intimidad de Pacífico. Primero quiso usurpar una especial aptitud suya; luego perturbar su unión con la Candi: total, provocar. Y el provocado, del natural indicado por su nombre, responde en precipitada defensa propia. Menos brutal y más justificable, es otra manifestación del instinto mostrado ya en *Las ratas:* guardar lo propio. Cuando el tío Ratero mató al muchacho sólo dio como explicación: «Las ratas son mías.» En *Las guerras* dirá el homicida «no fue un pronto» lo suyo (p. 166), sino un acto deliberado. De su historia sacamos en limpio que el Teotista apareció con cara furiosa, entrando «a lo zorro», con un palo en la mano, insultándole («el sietemesino éste del Humán»), y mirándoles con insolencia. Provocación la hubo; el error fue no aguardar ocasión propicia, pues, según explica el Abue, el crimen condenado en la paz no será castigado durante la guerra. El término «guerra» altera la calificación legal de un suceso.

El novelista capta la ambivalencia del hombre civilizado al plantear la insuficiencia de la interpretación médico-legal del homicidio, y critica implícitamente el convencionalismo de creer que somos mejores en la paz que durante la guerra. Invirtiendo el título unamuniano, esta novela sintetiza la presencia de la guerra en la paz, no ya de la guerra civil del 36 al 39, sino de una herencia de conflictos permanentes, de la violencia como forma de vida.

La investigación la emprende un sujeto interesado en averiguar cómo influye esa herencia en un individuo. En orden cronológico se recuerdan las guerras de generaciones anteriores, y es inevitable llegar a la conclusión dramática (aceptada por casi todos y no por eso menos terrorífica) de que la violencia engendra violencia, incluso en quien por temperamento la rechaza, pero que desde la niñez ha sido condicionado para aceptarla. La investigación matiza el caso. Si el protagonista ataca es porque alguien le desafía, le amenaza, perturba el espacio de paz e introduce en él un elemento de peligro («estábamos sentados al sol tranquilamente, mondando piñones», p. 163), una tensión que impone un cambio en la conducta para restablecer el equilibrio y mantener la paz perturbada. Predispuesto por la herencia y por la experiencia, el personaje sabe que de «el otro» sabe esperar, tras la oposición y la amenaza, la agresión.

El interrogatorio tiende a averiguar si el acto violento es una anomalía, pero el método empleado es inadecuado: el hecho del asesinato se resiste a la explicación analítica. Posiblemente la aplicación de las teorías de la *Gestalt* hubiera producido resultados más válidos. Los psicólogos de esta escuela estiman necesaria la consideración del todo —las percepciones e ideas junto con el código vital del individuo—. En todo caso, se habrían enfocado de otra manera los componentes de la conducta.

Si atendemos ahora al ritmo y al tono del personaje, encontraremos un nuevo contraste entre ellos y los perceptibles en el habla del doctor. El ritmo del protagonista es despacioso, no siente prisa al contar, y su interlocutor tiene que apurarlo en varias ocasiones (pp. 86, 132, 144, 207, etc.). Una de sus muletillas al empezar una frase es «Aguarde», sugeridora del gusto por el hablar calmo. Otras muletillas cumplen análoga función: introducir el mensaje o sencillamente tender a la articulación. Suelen ser dichas mecánicamente, y las impone el ritmo mismo del hablante. El tono transmite calma, conformidad con los hechos (los ejemplos son numerosos). De interés capital es lo que Pacífico opina sobre la importancia del tono adoptado para hablar con las abejas:

*Dr.* —¿Que hablabas tú con las abejas?
*P. P.* —Qué hacer, doctor.

*Dr.* —¿Y qué las decías, Pacífico? ¿Qué las decías?

*P. P.* —Según, mire, que eso era lo de menos, cosas. O sea tal-
mente como le hablaría a un perro. Que, en esos casos, lo que
uno diga, doctor, no tiene importancia, ¿sabe? Lo que importa
es el tono, que ellas comprenden por el tono que uno es de
casa y no está allí para saquearlas.

(p. 115)

Resumiendo: se busca un qué y un por qué, cuestiones
relativas a lo que posiblemente exige distinto tipo de comprensión. Que quepa domar a las abejas gracias al tono de
voz es un hecho que encierra significación simbólica semejante a la observable en *El disputado voto del señor Cayo*,
donde se asocia la inmunidad de la agresión apícola con
personajes igualmente enajenados del entorno conflictivo,
que viven desligados del grupo. Recordando la colmena
madrileña pintada por Camilo José Cela, los contextos novelescos de las colmenas delibeanas sugieren una cierta
afinidad en la visión del conflicto humano.

## AUTOR Y LECTOR

Hasta aquí he considerado el diálogo como mero espacio verbal en donde los personajes comunican ideas y sentimientos; contexto que graba la situación; reflejo lingüístico de dos formas distintas de pensar. Pospuse la
consideración artística del diálogo porque la voluntad autorial de ausentarse del texto es evidente, y por ello parecía preferible examinar antes las implicaciones internas
del texto mismo. Con todo, no puede faltar la consideración mencionada, pues el origen de la obra está declarado
en la firma del autor, y tiene una relación experimental
con el resto de las novelas de Delibes, las tempranas y las
recientes.

En un lúcido estudio de la presencia del autor en el
texto, Roland Barthes dice en «The Death of the Author»:

En Francia, Mallarmé fue sin duda el primero en ver y prever
en toda su extensión la necesidad de sustituir el lenguaje mismo
a la persona que hasta entonces se había considerado como el
dueño [del lenguaje]. Para él, para nosotros también, es el lenguaje lo que habla, no el autor; escribir es, por una impersona-
lidad prerrequerida (que no ha de confundirse de ninguna manera

con la objetividad castrante del novelista realista), alcanzar ese punto donde actúa, «representa», sólo el lenguaje, y no el «yo». Toda la poética de Mallarmé consiste en suprimir al autor en beneficio de la escritura (lo cual es [...] restaurar el lugar del lector) [4].

En *Las guerras de nuestros antepasados*, Miguel Delibes alcanza «ese punto donde sólo actúa, 'representa', el lenguaje, y no el 'yo'». Cerca de ello estuvo ya en *Cinco horas con Mario*, novela hablada que, por cierto, presenta un paralelo composicional con *Las guerras*: hay una introducción descriptiva del asunto, un texto principal (autodiálogo en ese caso), y al final una vuelta al lenguaje descriptivo. La variante en el patrón revela la evolución del arte delibeano. En *Las guerras* no será un narrador (figura autorial) quien introduzca el asunto; abren y cierran la novela dos informes de un personaje. El autor se muestra capaz de «entrar en su propia muerte; la escritura empieza» (Barthes, p. 142).

En el panorama de la novela española actual *Las guerras* surge como contrapunto técnico a la *La familia de Pascual Duarte*, ficción dedicada también a presentar una violencia reacia a toda explicación. Cela usó de manera barroca el artificio de la transcripción de unas memorias, enmarcándolas entre páginas de diferente textura lingüístico-estilística y de procedencia diversa, para así realzar el estilo del protagonista sin chocar con él frontalmente. Delibes crea ese contraste directo mediante continuo empleo del diálogo, sugiriendo, no más, las ideologías y los contextos sociales influyentes en los personajes y su habla. En Cela, hay una caja china de escrituras; en Delibes, un vaivén verbal entre dos centros relacionados por el lector.

Al conversar, los personajes entran en una relación conducente no al contagio, sino al enfrentamiento, y esto hace pensar que el diálogo propuesto es un nuevo modelo de incomunicación. Más que «entenderse», los interlocutores se ven obligados a ajustar continuamente la forma de pensar del uno a la del otro. Los apellidos de esos personajes no sugieren nada especial, salvo que pudieran pertenecer a cualquier hombre, mientras que un apellido (Burgueño)

---

[4] *Image-Music-Text*, traducido por Stephen Heath, Nueva York, Hill and Wang, 1977, pp. 142-48. (La cita es de la página 143 y la traducción es mía.)

y un nombre de pila apuntan a la oposición fundamental en el mundo novelesco de Delibes: el hombre de la ciudad (burgués) y el hombre del campo. «Francisco de Asís», añadido al final, parece insinuar la compasión de quien quería amparar al débil y es, a su vez, hombre de paz.

Ni los supuestos teóricos (incomunicabilidad de los centros), ni el uso artístico (habla autónoma de los personajes) permiten concluir que el diálogo en esta novela es convencional. Abundan contrastes significativos que señalan la incomunicación. Y lo intuyen los personajes. En el primer informe escribe el médico:

> El muchacho producía la impresión de que todo cuanto le rodeaba le resultaba ajeno y él no era sino una presencia flotante cuya irrupción en este mundo se debía a la pura casualidad.
>
> (p. 9)

Más poético, el así diagnosticado dice que siente una afinidad —¿identificación?— con el Hibernizo, el árbol raro que no pudo analizar el profesor de la Universidad que visitó el pueblo. Cuando asegura que recuerda el día que nació y el médico desconfía de sus afirmaciones, añade lo siguiente:

> P. P. —Después de todo, doctor, son cosas que pasan, ¿no? ¿No nacen terneros con dos cabezas? Y, sin ir más lejos, ve ahí tiene usted al Hibernizo, en el Humán, en la finca de mi tío Paco. ¿Quiere usted más? Pues ve así está, un manzano como todos ¿no? y sin embargo, en llegando la primavera se arruga y se pone yerto. O sea, lo contrario de lo que hacen los demás.
>
> (p. 29)

He aquí la imagen esencial de la novela, la que reaparece luego en la conciencia de Pacífico, ya en prisión, como acaso puede brotar en cualquier mente la imagen de otro árbol singular, el del Paraíso... Ese manzano es la raíz misteriosa de su ser. Por un lado, el pasado histórico le constituye, y el acto crucial de la novela parece confirmar que sus antepasados le moldearon. Por otro lado, está el pasado genético: nuestro origen remoto, la naturaleza humana.

Con anterioridad a Delibes, Luis Martín Santos mostró interés en la dicotomía del hombre-lazo generacional frente al hombre-individuo. En *Tiempo de silencio*, el investigador (don Pedro) es el hombre de ciencia cuya unión casi forzada con Dorita, personaje generacional, plantea la cuestión oblicuamente a través de los entes ficticios. Juan Benet, en *Una meditación*, concibe al protagonista enganchado en la red generacional desde la primera línea de la novela, explorándole en el eco-espacio humano: la memoria y la imaginación según se configuran en el cerebro. Delibes transmite la exploración de un individuo hasta el grado y con los términos que son propios a los participantes en esa exploración, quedando él mismo como «ese alguien que mantiene juntos en un solo campo todas las huellas que constituyen el texto» (Barthes, p. 148). Con ello muestra la soberanía del lenguaje del mundo ficticio, y permite que le veamos como alguien que está a la vez fuera y dentro del texto, como su origen, su causante y su constructor. Las voces contradictorias asumen en su conjunción una unidad indestructible, la unidad del texto. Esta unidad es la que le da la autonomía y sustantividad ejemplares, que hacen de la invención novelesca un objeto artístico que ya no depende de quien lo creó, sino que vive de su propia energía.

# REFERENCIAS

I. Particulares, sobre Miguel Delibes

Alameda, Soledad, «Miguel Delibes, entre el alba y el crepúsculo: 'Es que soy triste', en *El País semanal,* 6 de enero de 1980, páginas 10-13.

Alarcos Llorach, Emilio, «La novela de Miguel Delibes», en *Destino,* n.° 1.221, dic., 1960, pp. 44-45 y 47.

Alonso de los Ríos, César, *Conversaciones con Miguel Delibes,* Madrid, Magisterio Español, 1971.

Alonso García, Manuel, «Sobre la última novela de Miguel Delibes», en *Cuadernos Hispanoamericanos,* n.° 57, 1954, pp. 392-95.

Alvarez, Carlos Luis, «Técnicas y gaitas: el relato objetivo», en *Punta Europa,* n.° 54, junio, 1960, pp. 44-48.

Amorós, Andrés, «Carmen y Mario, una pareja española», en *Studia Hispánica in honorem R. Lapesa,* 2, Madrid, Gredos, 1974.

Bartolomé Pons, Esther, *Miguel Delibes y su guerra constante,* Barcelona, Ambito Literario, 1979.

Bofill, Rosario, «Miguel Delibes: *Cinco horas con Mario*», en *El ciervo,* n.° 156, febrero, 1967, p. 12.

Bonet, Laureano, «Miguel Delibes: Del tremendismo a la literatura bumerang», en *Destino,* n.° 1.763, 17 de julio de 1971.

Boring, Phyllis Zatlin, «Delibes' Two Views of the Spanish Mother», en *Hispanófila,* n.° 63, mayo, 1978, pp. 79-87.

Boudreau, Harold L., «*Cinco horas con Mario* and the Dynamics of Irony», en *Anales de la novela de posguerra,* vol. 2, 1977, páginas 7-17.

Cabrera, Vicente, y González del Valle, Luis, *Novela española contemporánea. Cela, Delibes, Romero y Hernández,* Madrid, Sociedad General Española de Librería, S. A., 1978.

CAMPOY, Carlos, «Miguel Delibes: *Parábola del náufrago*», en *El ciervo*, n.° 192, febrero, 1970, p. 14.

CANO, José Luis, «*La sombra del ciprés es alargada*», en *Insula*, n.° 30, junio, 1948, pp. 4-5.

— —, «*Aún es de día*», en *Insula*, n.° 49, enero, 1950, pp. 4-5.

— —, «*Mi idolatrado hijo Sisí*», en *Insula*, n.° 97, enero, 1954, página 6.

— —, «Conversaciones con Miguel Delibes», en *Insula*, n.° 295, junio, 1971, pp. 8-9.

CAUM, J., «*Cinco horas con Mario*», en *Indice*, n.°ˢ 217-218, 1967, página 97.

DÍAZ, Janet, *Miguel Delibes*, Nueva York, Twayne, 1971.

FALCONIERI, John V., «*Mi idolatrado hijo Sisí*», en *Books Abroad*, vol. XXVIII, otoño de 1954, p. 470.

FERRER, Olga P., «La literatura española tremendista y su nexo con el existencialismo», en *Revista Hispánica Moderna*, volumen XXII, 1956, pp. 297-303.

GARCÍA CASILLAS, J. M., «*Las ratas*», en *Arbor*, vol. LIII, n.° 203, páginas 147-48.

GOMIS, Juan, «*La hoja roja*», en *El ciervo*, n.° 77, julio-agosto, 1959.

— —, «*Las ratas*», en *El ciervo*, n.° 105, mayo, 1962.

GONZÁLEZ DEL VALLE, Luis, «Semejanzas en dos novelas de Miguel Delibes», en *Cuadernos Hispanoamericanos*, n.° 270, diciembre, 1972, pp. 545-551.

— —, «La intransigencia del ser y su fracaso: el mundo 'maniqueísta' de *Cinco horas con Mario*», en *El teatro de Federico García Lorca y otros ensayos sobre literatura española e hispanoamericana*, Nebraska, Society of Spanish and Spanish-American Studies, 1980.

GUERRERO, Obdulia, «Miguel Delibes y su novela *Cinco horas con Mario*», en *Cuadernos Hispanoamericanos*, n.° 210, 1967, páginas 614-21.

GUILLERMO DE CASTRO, Fernando, «Una narrador realista», en *Indice*, n.° 72, febrero, 1954.

GULLÓN, Agnes, «Descifrando los silencios de ayer: *Cinco horas con Mario*», en *Insula*, n.°ˢ 396-397, noviembre-diciembre, 1979, página 4.

GULLÓN, Ricardo, «El naufragio como metáfora», en *Homenaje a la memoria de don Antonio Rodríguez-Moñino. 1910-1970*, Madrid, Castalia, 1975, pp. 275-83.

— —, «Una educación sentimental», en *Revista de Occidente*, 3.ª época, n.° 7, mayo, 1976, pp. 80-87.

H., R. C., «*The Path*, by Miguel Delibes», en *Herald Tribune*, 3 de septiembre de 1961, p. 8.

HICKEY, Leo, *Cinco horas con Miguel Dèlibes: El hombre y el novelista*, Madrid, Editorial Prensa Española, 1968.

JOHNSON, Ernest A., «Miguel Delibes, *El camino*. A Way of Life», en *Hispania*, vol. XLVI, 1963, pp. 748-52.

JONES, Willis Knapp, «*El camino*», en *Books Abroad*, invierno de 1953, p. 72.

— —, «Recent Novels of Spain, 1936-1956», en *Hispania*, vol. XL, 1957, pp. 303-11.

KRONIK, John W., «Language and Communication in Delibes' *Parábola del náufrago*», en *The American Hispanist*, I, septiembre, 1975, pp. 7-10.

LAFORET, Carmen, «*Las ratas*», en *Destino*, n.º 1.290, abril, 1962, página 48.

LEGUINECHE, Manuel, «De caza con Delibes», en *El País semanal*, 10 de septiembre de 1978.

LINK, Judith Ann, *Major Themes in the Novels of Miguel Delibes*, tesis doctoral, University of Oklahoma, 1960.

LÓPEZ MARTÍNEZ, Luis, *La novelística de Miguel Delibes*, Universidad de Murcia, 1973.

LÓPEZ QUINTANS, A., «¿Es objetivo el relato objetivo?», en *Punta Europa*, n.º 72, 1961, pp. 33-43.

MARCO, Joaquín, «El experimentalismo en Miguel Delibes», en *Destino*, n.º 1.676, noviembre, 1969, pp. 63-64.

MATILLA RIVAS, Alfredo, «La toma de conciencia en Miguel Delibes», en *La Torre*, n.º 65, julio-setiembre, 1969, pp. 83-95.

MARTÍN DESCALZO, J. L., «Mundo y estilo de Miguel Delibes», en *Libros y Discos*, n.º 2, setiembre, 1962, pp. 10-14 y 42.

MARRA LÓPEZ, J. R., «Reseña de *Las ratas*», en *Insula*, n.º 186, mayo, 1962, p. 4.

MONTERO, Isaac, «El lenguaje del limbo *(Cinco horas con Mario)*», en *Revista de Occidente*, vol. XXI, 1968, pp. 101-117.

— —, «Un libro insólito y vivo: *Parábola del náufrago*», en *Cuadernos para el Diálogo*, n.º 77, febrero, 1970.

MORALES, Rafael, «*Mi idolatrado hijo Sisí*», en *Ateneo*, n.º 55, abril, 1954, p. 24.

ORTÚZAR YOUNG, Ada, «El ser y el parecer en *Cinco horas con Mario*», conferencia presentada en la Convención de la North East Modern Languages Association (Southeastern Massachusetts University), 22 de marzo de 1980.

PALLEY, Julian, «Existentialist Trends in the Modern Spanish Novel», en *Hispania*, vol. XLIV, 1961, pp. 21-26.

PALOU BRETONES, Antonio, «*Cinco horas con Mario*, de Miguel Delibes*, Palma de Mallorca, Sección de la Facultad de Filosofía y Letras de Barcelona, 1972.

PASTOR, Miguel Angel, «Prólogo» a *La mortaja*, Madrid, Alianza, 1970.

PAUK, Edgar, *Miguel Delibes: Desarrollo de un escritor* (1947-1974), Madrid, Gredos, 1975.

POLACK, Philip, «Carta-prólogo», en *El camino*, Londres, Harrah, 1963.

Rey, Alfonso, *La originalidad novelística de Delibes*, Universidad de Santiago de Compostela, 1975.

Roberts, Gemma, «Lenguaje y gesto inauténticos en el preámbulo de *Cinco horas con Mario*», en su libro *Temas existenciales en la novela española de postguerra*, 2.ª ed., Madrid, Gredos, 1978.

Sampedro, José Luis, «Miguel Delibes: *Las ratas*», en *Revista de Occidente*, n.º 6, setiembre, 1973, pp. 382-85.

Sastre, Luis, «El Nini, las ratas y el hombre», en *La Estafeta Literaria*, n.º 241, mayo, 1962, p. 20.

Tena, Jean, «La parabole et le miroir (une lecture de *Parábola del náufrago* de Miguel Delibes)», en *Imprevue 1979½*, Etudes Sociocritiques, Université Paul Valéry, Montpellier, 1980.

Umbral, Francisco, *Miguel Delibes*, Madrid, Epesa, 1970.

Varela Jácome, Benito, «Los novelistas del Nadal: Evolución de la narrativa de Delibes», en *Destino*, n.º 1.292, mayo, 1962, p. 39.

Vázquez Zamora, Rafael, «Miguel Delibes: *Las ratas*», en *Destino*, n.º 1.293, mayo, 1962, p. 50.

Vilanova, Antonio, «Juicios sobre Miguel Delibes», en *Libros y Discos*, n.º 2, setiembre, 1962, p. 5.

Vivanco, J. M., «Las novelas de Delibes», en *Libros y Discos*, n.º 2, setiembre, 1962, pp. 8-9.


II. Generales


Alborg, Juan Luis, *Hora actual de la novela española*, Madrid, Taurus, tomo I, 1958; tomo II, 1962.

Amorós, Andrés, *Introducción a la novela contemporánea*, 2.ª ed., Salamanca, Anaya, 1971.

Ayala, Francisco, «Sobre el realismo en literatura», en *La Torre*, n.º 26, abril, 1959.

— —, *Reflexiones sobre la estructura narrativa*, Madrid, Taurus, 1970.

Bakhtine, Mikhail M., *Problèmes de la poétique de Dostoievski* (2.ª ed. de *Problèmes de l'oeuvre de Dostoievski*, 1929), trad. Guy Verret, Lausanne, l'Age d'Homme, 1970.

Bally, Charles, *El lenguaje y la vida*, 6.ª ed. (1925), trad. Amado Alonso, Buenos Aires, Losada, 1941.

Baquero Goyanes, Mariano, *Estructuras de la novela actual*, Barcelona, Planeta, 1970.

Barthes, Roland, *Image-Music-Text*, trad. Stephen Heath, Nueva York, Hill and Wang, 1977.

Bonet, Laureano, *De Galdós a Robbe-Grillet*, Madrid, Taurus, 1972.

Bourneuf, R. y Ouellet, R., *La novela* (título original: *L'univers du roman*), trad. Enric Sulla, Barcelona, Ariel, 1975.

BUCKLEY, Ramón, *Problemas formales en la novela española contemporánea* (1968), 2.ª ed., Barcelona, Península, 1973.

CARDONA, Rodolfo, ed., *Novelistas españoles de postguerra, 1*, Madrid, Taurus, 1976.

CORRALES EGEA, J., *La novela española actual*, Madrid, Edicusa, 1971.

CURUTCHET, Juan Carlos, *Introducción a la novela española de postguerra*, Montevideo, Alfa, 1966.

— —, *Cuatro ensayos sobre la nueva novela española*, Montevideo, Alfa, 1973.

DAICHES, David, *The Novel and The Modern World*, Chicago University Press, 1960.

DOMINGO, José, *La novela española del siglo XX*, Barcelona, Nueva Colección Labor, vols. 147 y 149, 1973.

DREVER, James, *A Dictionary of Psychology*, Baltimore, Penguin, 1952.

FORSTER, E. M., *Aspects of the Novel*, Harcourt, Brace & World, 1954.

GALTON, Francia, *Inquiries into Human Faculty*, Londres, Dent, 1907.

GARCÍA-VIÑÓ, M., *Novela española de posguerra*, Madrid, Guadarrama, 1967.

GIL CASADO, Pablo, *La novela social española*, Barcelona, Seix Barral, 1968.

GREIMAS, A. J., *Du sens*, París, Seuil, 1970.

GUÉRARD, Albert J., *The Triumph of the Novel*, Nueva York, Oxford University Press, 1976.

GULLÓN, Agnes, «La transcripción de *La familia de Pascual Duarte*», en *Insula*, n.º 377, abril, 1978, pp. 1 y 10.

GULLÓN, Agnes y GULLÓN, Germán, eds., *Teoría de la novela*, Madrid, Taurus, 1974.

GULLÓN, Germán, *El narrador en la novela del siglo XIX*, Madrid, Taurus, 1976.

GULLÓN, Ricardo, «The Modern Spanish Novel», en *The Texas Quarterly*, primavera de 1961, vol. IV, n.º 1.

— — , *Técnicas de Galdós*, Madrid, Taurus, 1970.

— —, *Psicologías del autor y lógicas del personaje*, Madrid, Taurus, 1979.

HICKEY, Leo, «Sobre la realidad novelística», en *Revista de Occidente*, n.º 109, 1972, pp. 26-43.

HUTCHINSON, G. E., *The Itinerant Ivory Tower*, New Haven, Yale University Press, 1953.

— —, *An Introduction to Population Ecology*, New Haven, Yale University Press, 1978.

*Insula*, números 396-397, noviembre-diciembre, 1979.

ISER, Wolfgang, *The Implied Reader*, Baltimore, Johns Hopkins University Press, 1974.

JAKOBSON, Roman, *Essais de linguistique générale*, trad. Nicolas Ruwet, París, Minuit, 1963.

JAMES, Henry, *The Art of the Novel* (1909), Nueva York, Scribner's, 1934.

JAMESON, Fredric, *The Prison-House of Language: A Critical Account of Structuralism and Russian Formalism*, Princenton University Press, 1972.

LÁZARO CARRETER, Fernando, *Diccionario de términos filológicos*, 3.ª ed., Madrid, Gredos, 1971.

— —, *Estudios de Poética (La obra en sí)*, Madrid, Taurus, 1976.

LEWIS, C. S., *An Experiment in Criticism* (1961), Cambridge, The University Press, 1969.

LYONS, John, *Intróduction to Theoretical Linguistics*, Londres, Cambridge University Press, 1969.

MARTÍNEZ CACHERO, J. M., *La novela española entre 1939 y 1969*, Madrid, Castalia, 1973.

NORA, Eugenio de, *La novela española contemporánea (1927-1960)*, vols. I y II, Madrid, Gredos, 1962.

ORTEGA, José, *Ensayo de la novela española moderna*, Madrid, Porrúa Turanzas, 1974.

ORWELL, George, *A Collection of Essays*, Nueva York, Harcourt, Brace & World, 1946.

OWENS, Craig, «Detachment from the Parergon», en *October*, n.º 9, 1979, pp. 42-49.

PÉREZ MINIK, Domingo, *La novela extranjera en España*, Madrid, Taller de Ediciones Josefina Betancor, 1973.

PRINCE, Gerald, «Introduction à l'étude du narrative», en *Poétique*, n.º 14, 1973.

PRITCHETT, V. S., *The Myth Makers: Literary Essays*, Nueva York, Random House, 1979.

SANZ VILLANUEVA, Santos, *Tendencias de la novela española actual (1950-1970)*, Madrid, Cuadernos para el Diálogo, 1972.

SAUSSURE, Ferdinand de, *Curso de Lingüística General* (1915; publicado por Charles Bally y Albert Séchehaye), trad. Amado Alonso, Buenos Aires, Losada, 1945.

SCHOLES, Robert, «The Contributions of Formalism and Structuralism to the Theory of Fiction», en *Novel*, vol. 6, n.º 2, 1973.

SCHRAIBMAN, José, «Notas sobre la novela española contemporánea», en *Revista Hispánica Moderna*, XXXV, 1969.

SHKLOVSKY, Victor, «Art as Technique», en *Russian Formalist Criticism*, ed. por Lee T. Lemon y Marion J. Reis, Lincoln, University of Nebraska Press, 1965.

SOBEJANO, Gonzalo, *Novela española de nuestro tiempo*, 2.ª ed., Madrid, Prensa Española, 1975.

SPIRES, Robert, *La novela española de postguerra*, Madrid, Planeta/ University of Kansas, 1978.

STEINER, George, *Language and Silence* (1958), Nueva York, Atheneum, 1967.

— —, *After Babel*, Nueva York, Oxford, 1975.

STEVICK, Philip (compilador), *The Theory of the Novel*, Nueva York, The Free Press, 1967.

TODOROV, Tzvetan, *Literatura y significación*, trad. Gonzalo Suárez Gómez, Barcelona, Planeta, 1971.

TORRENTE BALLESTER, Gonzalo, *Panorama de la literatura española contemporánea*, 2.ª ed., Madrid, Guadarrama, 1961.

USPENSKY, Boris, *A Poetics of Composition: Structure of the Poetic Text and the Typology of Compositional Forms* (1970), University of California Press, 1973.

VILLANUEVA, Darío, *Estructura y tiempo reducido en la novela*, Valencia, Bello, 1977.

WATT, Ian, *The Rise of the Novel*, Berkeley, University of California Press, 1971.

ESTE LIBRO SE TERMINÓ DE IMPRIMIR EN EL
MES DE OCTUBRE DE 1981, EN LOS TALLERES
DE GREFOL, S. A., POL. II - LA FUENSANTA
MÓSTOLES (MADRID)